JN123863

NET WALKER 2020

危険がいっぱい！情報化社会を歩く。

Psybernics 福井県警察サイバー犯罪ボランティア

はじめに

現在、インターネットやSNSの急速な進展により若者の多くが気軽にネット利用するようになってきています。インターネットの利用経験は内閣府の行った「平成30年度 青少年のインターネット利用環境実態調査」によると小学生で約85.6%，中学生で約95.1%と非常に高い利用率であることが分かります。買い物や家族・友人間のコミュニケーションといった日常的な出来事から、教育場面や行政上の様々な手続きなど、より多くのことが家に居ながらにしてインターネットを介して行えるような、非常に便利で楽しい社会が実現しているといえます。しかし便利で楽しいツールを使っていれば、怖いことにあう可能性だってあります。近年、若者をはじめとする多くのネット利用者が、ネット上の犯罪に巻き込まれる事案が報告されています。それは被害者というだけではありません。知らず知らずのうちにネット犯罪の加害者になってしまう可能性もあるのです。気軽だからこそ、意図しないうちに様々な問題に巻き込まれてしまいます。

今後、情報技術はどんどん進化していきます。それに伴って、今以上に私たちの暮らしは便利で、さらに楽しいものになっていくことが期待されています。声だけで様々な操作のできるスマートスピーカー（Google HomeやAmazonのアレクサ等）を使っている方もいらっしゃるかと思いますが、音声解析技術が進歩すれば話しかけるだけで体調の微妙な変化を感じ取り、健康診断や薬の斡旋などをしてくれる時代が来るかもしれません。これからほんの少し先の世の中がどんなに凄い時代になっているかなんて、とても想像できません。私の小さい頃のスパイ映画でよく見かける高度なセキュリティシステムの代表的なものに、指紋認証が登場していました。子ども心に凄いなと感心したものです。それが今では、誰もが持っているスマートフォンやタブレット端末に普通に装備されている技術になっています。

昔はとても個人では出来なかったことが、ネットワーク社会の進展と情報技術の革新で簡単に出来るようになっているのです。多くの人が利用しているTwitterやInstagramのような不特定多数への発信は、いわば1人マスメディアです。昔は自分の主張を多くの人に知ってもらうためには、手書きでビラを作り人の多いところに行き、配らなければなりませんでした。それがたった数秒の手間で、不特定多数の人へ皆さんの主張を伝えることが出来るのです（見てくれる人がいるかは別の問題です）。

このように、どんどん便利で気軽に様々なことが出来る時代になっていく一方で、私達に付きまとう危険も増えていきます。危険だけではありません。先ほどのTwitterの例のように、私達個人が今まで出来なかったことが、簡単に出来るようになっていくのです。それに伴う責任やモラルも求められるようになってきます。一例をあげます。例えば Twitter 上に不適切な画像や投稿をして炎上する事例がかなり前から報告されています。福井県内でも、バイト先の調理場で備品のはさみをてんぷら油で揚げた画像を Twitter に投稿して炎上した事例がありました。当然、はさみをてんぷら油で揚げることは犯罪でも何でもありません。家でやるなら良い実験になるかもしれません。バイト先でやってしまう事の問題は、本来は社員教育の問題です。それをネット上に気軽に上げることで、そのモラルが問われて炎上してしまうのです。ファミレスや飲み屋で友人同士愚痴をこぼすことは今も昔も変わりありません。そこで上司の悪口を言う事も、ちょっとしたいたずら自慢をすることもあるでしょう。しかし、それを不特定多数が見る機会のある場でする事の違いが分かっていないことが問題なのです。

不特定多数の人が見る場でする振る舞いには、相応のモラルが求められるのです。また多くのことが出来るようになるという事は、それに伴う責任もついてきます。だからこそ、情報化社会における振る舞いや求められる倫理，それに伴う責任など、新しい時代に対応した事例・事象について学んでいく必要があります。しかし、こんなにも情報化社会の危険性や考えていかなければいけない事柄がたくさんあるのに、それを学ぶ機会もまた適切なツールもしっかりとあるとは言えないのが現状です。本来、それを教えるべき大人も、学ぶ機会がないままにネット社会の便利で楽しい技術的な部分だけを利用してしまっているからです。分かりやすく言うと、多くの大人の人達もまた、何が危険なのか、どんな事を知っていなければいけないのかについて良く分かっていないのです。

そのためネット社会についての危険性や基礎知識に関しては、私たちの日常生活に関わる問題にもかかわらず、専門家（詳しく知っている人）が知らない人に教えるという形をとっています。例えるならば、お金の大切さやお金の使い方を、経済学者が解説しているというようなものなのです。試しに近くの本屋やネット上の Web サイトを見てみると良く分かります。ネット社会の危険性を啓発する本やサイトはそれなりにありますが、その分野の専門家が書かれているために、どれも難しい言葉が並んでいたり、文章ばかりだったりしてとても読む気がおきないものが多いです。

先ほども述べましたように、この情報化社会の技術革新はものすごい速さで進んでおります。それに伴い危険も広がっています。だからこそ、これからの時代を担う子どもや若者たちはもとより、現在、情報化社会で暮らす全ての人に、この情報化社会についてより深く知っていただく啓発的な活動が求められています。

本書はこのような社会状況や社会的要請を踏まえて、普通に情報化社会で暮らしているネットの知識がない大学生が、ネットの知識のない人たちへ、ネット社会の怖さを紹介する本になっています。この情報化社会で様々な情報技術を利用して生活している人の多くは、ネットについての知識は無かったり、あまり詳しくなかったりします。当然、怖い思いをすることもあるでしょう。本書はそのような情報化社会で暮らす「普通の人」である大学生が経験した又は感じるネット社会の危険性を、彼らが感じたままイラストにして紹介しています。この情報化社会を生きていくうえで、まず大事なことは、情報化社会そのものについて興味を持ってもらうことだと思います。当たり前にできる事の裏側に、どんな恐怖が潜んでいるのか、それを知ることから始まります。

本書は情報化社会の危険や特徴に関して 35 のテーマを設定し、各テーマが見開き 1 ページで構成されています。左側のページには、大学生が感じているネット社会の危険や特徴を表現したイラストを載せてあります。難しい言葉ではなく、視覚的に訴えることでネット社会に対して皆さんの興味や関心が湧いてくれることを期待しています。そして右側のページには、そのイラストを作成した学生の感想や簡単な解説が載っています。難しい専門用語ではなく、この本を手に取っている方と同じ目線で彼らが感じた事、経験したことをもとに、彼らの言葉で表現しています。またそのテーマに関連した実際に起こった事件や関連する様々なデータも紹介しています。

本書のイラストは福井県内の 4 つの大学・短期大学に所属する学生 23 名が書いたものです。彼らは福井県警察サイバー防犯ボランティア「psybernics」として活動しております。収録されているデザインは、非常に秀麗なものから味のあるもの、複雑で細かいものからシンプルなものまで、そのスタイルは多岐にわたっております。この統一性のなさもまた、現在の価値観の多様化した社会を反映しているとともに、玉石が混交した虚実あわせ持つ情報化社会を表しているのではないでしょうか。

本書は、ネット社会について学ぶためのものではありません。まず本書を手に取っていただいた方が、情報化社会について興味を持ってくれるきっかけになること、本書をもとに自ら google や yahoo！などで関連するトピックスを検索してくれるようになることを執筆者、編著者一同期待しております。なお、本書の刊行には、科学研究費補助金基盤研究(B)(課題番号：19H01713)(研究代表者：岸俊行）の助成を一部受けて行っております。

編著者を代表して
岸 俊行

本書の見方

本書は見開き１ページで一つのテーマが完結しています。

左ページ：大学生が描いたテーマに関するイラスト
右ページ：イラストに関する学生のコメントや解説

【本書の使い方】

左ページ（イラスト）だけ見て、それぞれのテーマである情報化社会の脅威を想像したり、感じていただいたりしていただいても良いと思います。

右ページには、イラストを描いた大学生が感じた事、学んだこと、経験したことなどを書いてあります。また情報化社会の脅威は決して、絵空事ではありません。下にはテーマに関連して現実で起こった事件や実際の統計データなどを載せてあります。参考にしてください。

【重要な事】

本書は、決して情報化社会について学習するためのものではありません。

情報化社会について興味・関心をもてもらう事に比重をおいています。

興味を持った事柄については、是時、皆さん自身で調べてみてください。

【イラストに関して】

本書に掲載されているイラストは
サイバー防犯の啓発のために書かれております。
「サイバー防犯啓発」のために利用することは可能です。

またイラストの一部はカラーで作成されております。

二次利用をしたい、カラーのイラストを見たい、
原寸大のイラストを見たいという方は、
イラストデータをサーバーにアップロードしております。是非ご利用ください。
（イラストの二次利用の際には本書を明記してください）

DL はこちら↓

https://psybernics.ed0.jp/

目次

目次

スマートフォンに潜む危険

SNS 利用における基本事項

目次

ネット社会をよりよく渡り歩くための基礎知識

Psybernics の紹介

ネットワークの基幹

セッション
ハイジャック

ネットワークの中も戦争状態！

サイバー攻撃

「サイバー攻撃」は、
色々な種類があることをご存知ですか？
あなたは、いくつ答えられますか？

サイバー攻撃は・・・
ネットワークを対象に行われます。特定の企業や学校など大きな組織が狙われやすいですが、個人を狙ったものと、無差別に大多数を狙ってくるものもあります。

まだ学生である自分には関係ないと思ったそこのあなた！

今は他人事のように感じるかもしれませんが、将来、社会人になって就職した会社が狙われてしまったら？教師を目指しているのであれば、その学校が狙われてしまったら？サイバー攻撃によって、個人情報が漏洩してしまい、とても困ります。
そんな場合に備えて、今のうちから知っておいて損はないと思います。

【サイバー攻撃の種類】
サイバー攻撃と聞くと、スパイ映画のような私たちの生活と関係ない世界の話と感じますが、実際には日本でも多くの企業がサイバー攻撃を受けています。
2020年1月20日には三菱電機が大規模なサイバー攻撃を受け、従業員や退職者、採用応募者など8000人分の個人情報が流出しただけでなく、取引先の政府機関や民間企業に関する資料ややりとりなどの機密が流出した恐れがあると発表しました。世界中の企業が毎日のように見えない侵入者から狙われています。
実はサイバー攻撃は、企業だけの問題ではないのです。4年前のリオ五輪の際には、家庭用のWi-Fiルーターにサイバー攻撃がかけられて乗っ取られてしまったという事例が多数報告されています。日本でも2016年頃から家庭内のWi-Fiルーターなどを狙った大規模なセキュリティ被害が増えています。東京オリンピックが開催されることにより、世界中から注目を集めるようになります。もしかしたら、あなたの家のWi-Fiがサイバー攻撃の対象になるかもしれません。今一度、セキュリティを確認してみるのも良いかもしれません。

以下に、代表的なサイバー攻撃を記載してあります。調べてみてください！

1. 標的型攻撃
2. ランサムウェア
3. 水飲み場型攻撃
4. クリックジャッキング
5. ドライブバイダウンロード
6. Dos攻撃
7. F5アタック
8. ゼロデイ攻撃
9. SQLインジェクション
10. OSコマンド・インジェクション
11. クロスサイトスクリプティング
12. バッファオーバーフロー攻撃
13. セッションハイジャック
14. バックドア
15. ルーキット攻撃
16. ブルートフォースアタック
17. パスワードリスト攻撃

あなたのセキュリティ本当に万全!?

大事なものを守れるのは自分だけ!

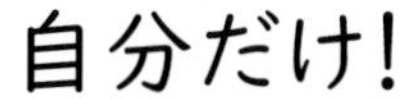

セ　キ　ュ　リ　テ　ィ　ソ　フ　ト

セキュリティソフト、ちゃんとインストールしてますか?

セキュリティソフトとは、

コンピュータを悪意のある第三者の攻撃から守り、あるいは脅威を検知・排除するソフトウェアの総称

「セキュリティソフト」というと、意味が分かるようで実際どんなことをしているのかわからないというのが、私の最初のイメージでした。とりあえず、パソコンを買ったときにお店の人におすすめされるのでインストールするだけで、実際どんなことをしているのか、使っていてもいまいち実感がなく、どんな種類があるのかなど考えたこともありませんでした。

セキュリティソフトには、コンピュータウイルスやインターネットワーム、トロイの木馬、スパイウェアなどの悪意のあるソフトウェア(マルウェア)を検知・除去する「アンチウイルスソフト」と、ネットワークを通じて外部から行われる攻撃を防ぐ「ファイアウォールソフト」などがあるそうです。

パソコンを買う時に勧められているソフトの「Norton」(ノートン)や「McAfee」(マカフィー)こそが、アンチウイルスソフトだったんだなと知ることができました。

これらのおかげで、自分のパソコンがウイルスに感染することを防ぎ、また、自分がウイルスを知らず知らずのうちにばらまいてしまうことを防いでくれるそうです。

しかし、これらのソフトも常に最新にしておかなければ効果が十分に発揮されません。よくわからないな、と無視せずに、更新はこまめに確認することが大切だと思いました。

世帯ごとのセキュリティ対策の実施状況	
対策を行った	68.5%
対策を行っていない	20.2%
対策を行ったか分からない	11.3%

約3割の世帯がセキュリティ対策の詳細を知らない

実際のセキュリティ対策の内容	
セキュリティ対策ソフトの購入もしくは更新	53.4%
セキュリティ対策サービスの新規契約もしくは更新	24.2%
端末にパスワードを設定している	19.6%
不確かなインターネット回線には接続しない	18.8%
管理者を定め、チェックしている	4.6%

総務省「平成30年通信利用動向調査」より

無線LANの危険性

危険なポイント

みんながアクセス
⇒サーバに負荷大

勝手に海外サーバに
繋がってしまう

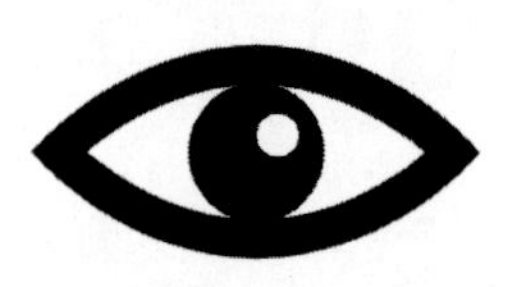

パスコードが簡単
⇒誰でも閲覧可能

パスワードが簡単

人にパスワードを
教えすぎる

使用している
LAN形式がWEP

対策方法

パスワードを強くする

WAPやWAP2などの
強い暗号方式を使用する

無線 LAN 正しく使えていますか？

無線 LAN の危険要素

無線 LAN は電波が屋外に漏れてしまう！

無線 LAN とは・・・
ケーブルを用いずに、無線通信を利用してデータの送受信を行う（つまり、インターネットに接続する）システムの事です。

「無線 LAN」と聞くと何か物すごく分かり難いシステムのように感じますが、「Wi -Fi」と聞くとグッと身近なモノに感じられます。実は、この「無線 LAN」と「Wi-Fi」は基本的に同じものです。正確には、「無線 LAN」のシステムの代表的なものが「Wi-Fi」です。現に私もこの Topic を担当するまでこれらを別のものだと思っていました。
情報通信関連の知識は 知ろうと思えば、インターネットを通して様々な事を知ることができ、正解まですぐに手が届くのに、「難しそうだから」と学ぶことを面倒に思ったり、「使えるからそれでいい」とその仕組みや危険性を知ろうとしない人が多いように感じます。
インターネットが発展し続けている現代に生きている我々が身に付けないで、どうして後世に伝えられるでしょうか？
私もインターネット社会を生きる者の一人として、知識に対して貪欲に歩いていこうと思います。

2015 年 6 月、愛媛県松山市の無職の男性（当時 30）が不正アクセス禁止法違反罪などで逮捕されました。この事件は、簡単に説明すると逮捕された男性が自宅で他人の家の LAN のパスワードを解析し、その LAN に不正接続して無断利用したものです。当時「無線 LAN ただ乗り」等の言葉が新聞紙上に載りました。無線 LAN は目に見えないものですが、いわば他人の家の電気や水道を使ったのと同じことです。そしてその 2 年後、2017 年 5 月に裁判の結果が出ました。東京地裁はこの男性を無罪とする判決を下しました（確定しています）。産経ニュースでは「無線 LAN「ただ乗り」の恐怖 衝撃の「無罪判決」、犯罪に利用され被害者が捜査対象になる恐れ」という見出しの記事を出していたりします。ただしこの裁判の争点は、他人の家の LAN を無断で使用していいかどうかを争ったわけではありません。この裁判の争点は、「無線 LAN の暗号を解読することが通信の秘密を侵していることに当たるかどうか」だったわけです（そしてこの点において、罪に問えないという判決が確定しただけです）。当然、無線 LAN のただ乗りは法律に抵触する可能性が多々あります。他人の家の LAN を、暗号を解析してまで、無断で使用するわけですから、そこから考えることは何かしらの犯罪を犯そうという悪い意図です。実際にこの男性は、他人の家の無線 LAN を使用して、ネット銀行不正送金詐欺などを行っており、そちらでは有罪判決が出ております。
このように自分の家で何気なく設定し使用している無線 LAN ですが、しっかりとしたパスワード設定などを行っておかないと、自分の知らないところでただで使われているだけでなく、自分の家の LAN を起点に犯罪などが行われてしまっているかもしれません。自分の家の LAN の使用状況などを時にチェックしてみることも重要かもしれません。

繋がっているすべての人を
信用する覚悟がありますか？

えっ！安全って当たり前にあるものじゃないの？

公　衆　無　線　L　A　N

公衆無線 LAN とは・・・
飲食店や交通機関などに設置されており、誰でも利用できる無線 LAN のことを公衆無線 LAN といいます。

皆さんは、公衆無線 LAN を使ったことありますか？スマートフォンの契約によっては、通信できる容量の上限が定められているプランを利用している人も多く、出来るだけ外出時には公衆無線 LAN に接続するようにしている人も多いのではないでしょうか。私も何度か接続したことがあります。しかし、あまり意識せずに利用していますが、誰でもネットワークに気軽につなげることが出来るという事は、ネットワークの先にいる相手も簡単に私と繋がってしまう可能性があるという事です。もし悪意のある犯罪者がネットワークの先にいれば、例えば自分の端末に不正にアクセスされたり、通信内容がのぞき見されたりといった、被害をうける可能性もあるのです。そう考えると結構恐ろしいことだと思ってきます。少し大げさな表現かもしれませんが、「繋がっている全ての人を信用する覚悟があるのか」という事になります。さすがに見たこともない相手をみんな信用することなんかできませんよね、だからこそ、公衆無線 LAN を利用する際には、自分の身は自分で守らなければいけないということを学びました。安全に利用するには下の 5 つは確認した方が良いらしいです。

① パブリックネットワークを利用する
② ファイル共有機能をオフにする
③ セキュリティソフトを導入する
④ 暗号化されていない公衆無線 LAN は使わないようにする
⑤ 重要な情報を扱う場合は SSL モードになっているか確認する

公衆無線 LAN には安全な接続とそうでない接続とがあります。通信が暗号化されていない接続はもちろんセキュリティ上論外であり、そのようなネットワークには接続すべきではありません。しかし暗号化されているからと言って必ずしも安全という訳ではありません。「暗号キー」を複数の人と共有するネットワークの種類があります。これは予め暗号キーが事前に定められているため、攻撃者がこれらの暗号キーを知っていれば、通信内容を直接盗聴されたり、なりますし無線 LAN アクセスポイントをしかけられたりといったリスクがあります。WPA(2)-PSK のタイプです。それに対して「暗号キー」を他人と共有しないで個別の「暗号キー」を用いる方式があります。例えば各スマホなどに入っている SIM カードの情報を用いて認証＝接続許可を行う方式です。SIM は 1 枚 1 枚別々の情報が入っているため、誰かと「暗号キー」が被ることなく、安全に通信を行うことが出来ます。WAP(2)-EAP のタイプです。元々スマートフォンには、各携帯電話キャリアで提供している様々な方式の無線 LAN 用の自動接続設定が、安全性に関係なくまとめて導入されていることがあります。そのためあまり意識せずに、安全ではないネットワークにも自動で接続されてしまうことが多くあります。一度、外出先で LAN に接続されるときには、皆さんのネットワークを確認してみてください。

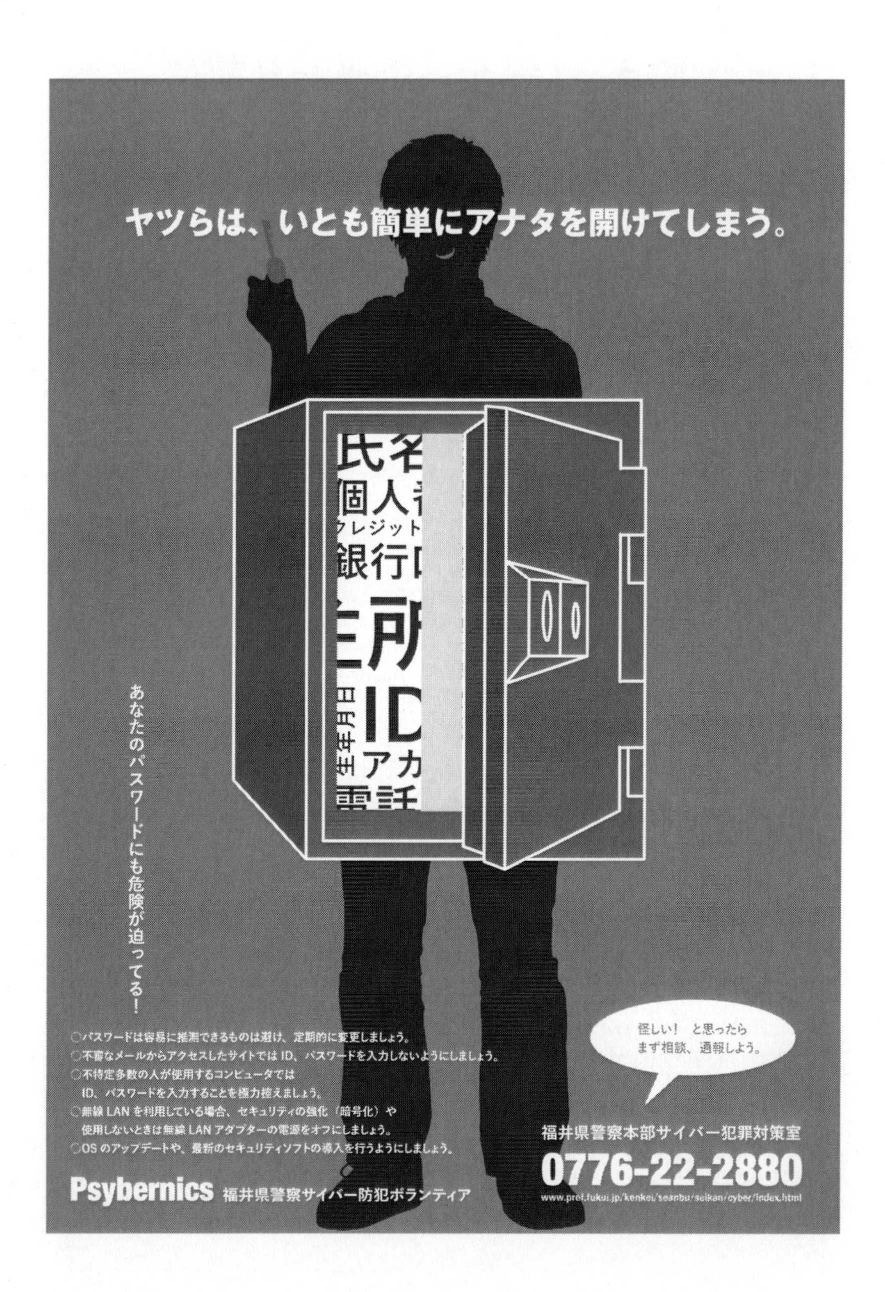
ヤツらは、いとも簡単にアナタを開けてしまう。
あなたのパスワードにも危険が迫ってる！
○パスワードは容易に推測できるものは避け、定期的に変更しましょう。
○不審なメールからアクセスしたサイトではID、パスワードを入力しないようにしましょう。
○不特定多数の人が使用するコンピュータでは
ID、パスワードを入力することを極力控えましょう。
○無線LANを利用している場合、セキュリティの強化（暗号化）や
使用しないときは無線LANアダプターの電源をオフにしましょう。
○OSのアップデートや、最新のセキュリティソフトの導入を行うようにしましょう。
Psybernics 福井県警察サイバー防犯ボランティア
怪しい！ と思ったら
まず相談、通報しよう。
福井県警察本部サイバー犯罪対策室
0776-22-2880
www.pref.fukui.jp/kenkei/seanbu/seikan/cyber/index.html

金庫もネット世界も、最後の砦は“鍵”！

パスワードの重要性

パスワードは、個人を識別する大事な情報！

パスワードとは・・・

パスワードはIDとセットで利用されるもので、IDを割り振られた本人だけが知っている情報です。 それを入力することで本人であることを確認できます。

iPhone には中の個人情報を守り漏洩しないためにパスワードがついています。ヤフーメールのログインには ID とパスワードの両方を使うことで個人を識別して自分のメールボックスを開いてくれます。このようにパスワードは使用者が本当にそのアカウントの本人かを確かめる手段になっています。これらは、個人情報が多分に含まれているため、簡単に他人の手に渡ってしまっては大変なことになってしまうものです。

また、パスワードがわかるかわからないかで、権限を持たせたり持たせなかったりすることで開示する情報を制限することもできます。

パスワードをつけることで、手間が増えて面倒くさいなと思うこともありますが、大事な情報を守り、個別の権限を得るための大事なものです。なかなか他人に推察されにくく、自分が覚えやすいものをつけましょう。

ニコニコ動画等を運営する株式会社ドワンゴが 2019 年 10 月 27 日に「パスワードリスト型攻撃による niconico アカウントへの不正ログインを複数検出した」と発表しました。発表の内容が分かりやすいため、一部掲載します。

「先日より、本人によるものではないと思われる niconico アカウントへのログインを、複数検出しております。

niconico 以外のサービスで使われているメールアドレス・パスワードの組み合わせを不正に入手し、同じメールアドレス・パスワードで niconico にログインできないかを試しているものと思われます。
※「リスト型アカウントハッキング」などと呼ばれる攻撃の手口です。

このような手口においては、攻撃者の手元にあるメールアドレス / パスワードの一覧の精度を高めてから (ログインができるかどうかを確かめてから)、目的の犯行に及ぶと見込まれます。

そのため、現在 niconico 内では被害がなくとも、同じメールアドレス / パスワードを用いている他サービスにおいて被害が発生する場合があります。」

どこかの企業が流出した【メールアドレス － パスワード】が組みになったリストを誰かが入手し、niconico アカウントでログインできるか試しているということです。

このネット社会では、一つのサービスを受けるたびにメールアドレスとパスワードを求められるため、同じにしている人も多いと思います。そのため、どこかでその組み合わせが漏れてしまうと、その組み合わせを使っている全てのサービスに影響が出てしまいます。面倒くさくても、サービスごとにパスワードを変えるとよいです。

おなじパスワード
簡単なパスワードの使い回し
ダメ
みんなに迷惑
画像流出
やめて
画像ちょーだい
電子マネーカード買って
花子16才
キケン
まさか私が迷惑してるの!?
ウイルス流布
スパム連鎖
不正利用
あやつってやる!!
動かない
なりすまし
ポイントが勝手に使われてる…
¥0000
VIS
JCP
流出
パスワードの使い回し
簡単なパスワード
不正ログイン
名前と誕生日の組み合わせにしよう
全部同じパスワードにしよう
Pw: Hana 1225
Pw: Hana 1225
Pw: Hana 1225
何も買った覚えがないのにお金が減る
身に覚えがない請求
Psybernics
福井県警察サイバー防犯ボランティア
×
福井県警察本部
サイバー犯罪対策室
http://www.pref.fukui.jp/kenkei/seanbu/seikan/cyber/index.html

自転車も車も、家も銀行口座も全部同じ鍵？

パスワードの管理

パスワードを見やすい場所に保管していることは、個人情報を公開しているのと同じです！

パスワードリスト型攻撃とは・・・
不正アクセスを試みる手法の一種で、あらかじめ用意したアカウント情報一覧をもとにログインを試みる手法です。どこか他のサービスなどから不正に入手したリストを使うため、実際に使っている文字列の組み合わせに突き当たりやすく、不正ログインが成功しやすいです。

パスワードはどのように管理していますか?「忘れたら大変だから」とメモをしたり、つい全部同じパスワードにしてしまったりしていませんか?「だめだなあ」と思いながらも、同時に「そんな大事な情報なんて入っていないし、覚えられないから仕方ないや」と開き直ったりしていませんか?それが私でした。しかし、それではパスワードの意味がありません。個人を識別するためのパスワードなのに、いろんな人の目につくところに貼っていては、誰でもログインできるので、個人を識別することはできません。

また、一か所のサイトだけバレただけでしょう、と侮ってはいけません。そこから、紐づけされたサイトや、他の様々なサイトにも簡単に入られてしまいやすくなるのです。

ショッピングサイトのIDとパスワードが第三者に知られてしまったら、商品の購入履歴や住所、電話番号などの個人情報が漏洩することになります。ショッピングサイトによっては、会員管理としてクレジットカード番号のデータを保存していることがあるため、自分の登録したクレジットカードで第三者に買い物をされてしまう危険性もあります。

今一度、自分のパスワードの管理について見直し、できる限り形に残らないように覚えるか、自分しかわからないような難しいヒントで書き残しておくなどの工夫が必要です。

パスワードはネットの世界においては非常に重要なものです。パスワードが他人に知られれば、それだけで自分が契約しているサービス等に不正アクセスされる可能性があるのです。では、どうやって悪意ある第三者に自分のパスワードを知られてしまうのでしょう。

右記の表は2019年に不正アクセス禁止法違反で検挙された事件での不正アクセス行為の詳細です。圧倒的にパスワードの設定や管理の甘さ多いという事が分かります。

不正アクセス禁止法違反における不正アクセス行為の手口（2019年）	
利用権者のパスワードの設定・管理の甘さにつけ込んだもの	278
識別符号を知り得る立場にあった元従業員や知人等によるもの	131
言葉巧みに利用権者から聞き出した又はのぞき見たもの	17
他人から入手したもの	13
インターネット上に流出・公開されていた識別符号を入手したもの	7
フィッシングサイトにより入手したもの	3
スパイウェア等のプログラムを使用して識別符号を入手したもの	0
その他	53
合計	502

＊「セキュリティ・ホール攻撃型」（18件）を除いています。
「令和元年版　警察白書」より作成

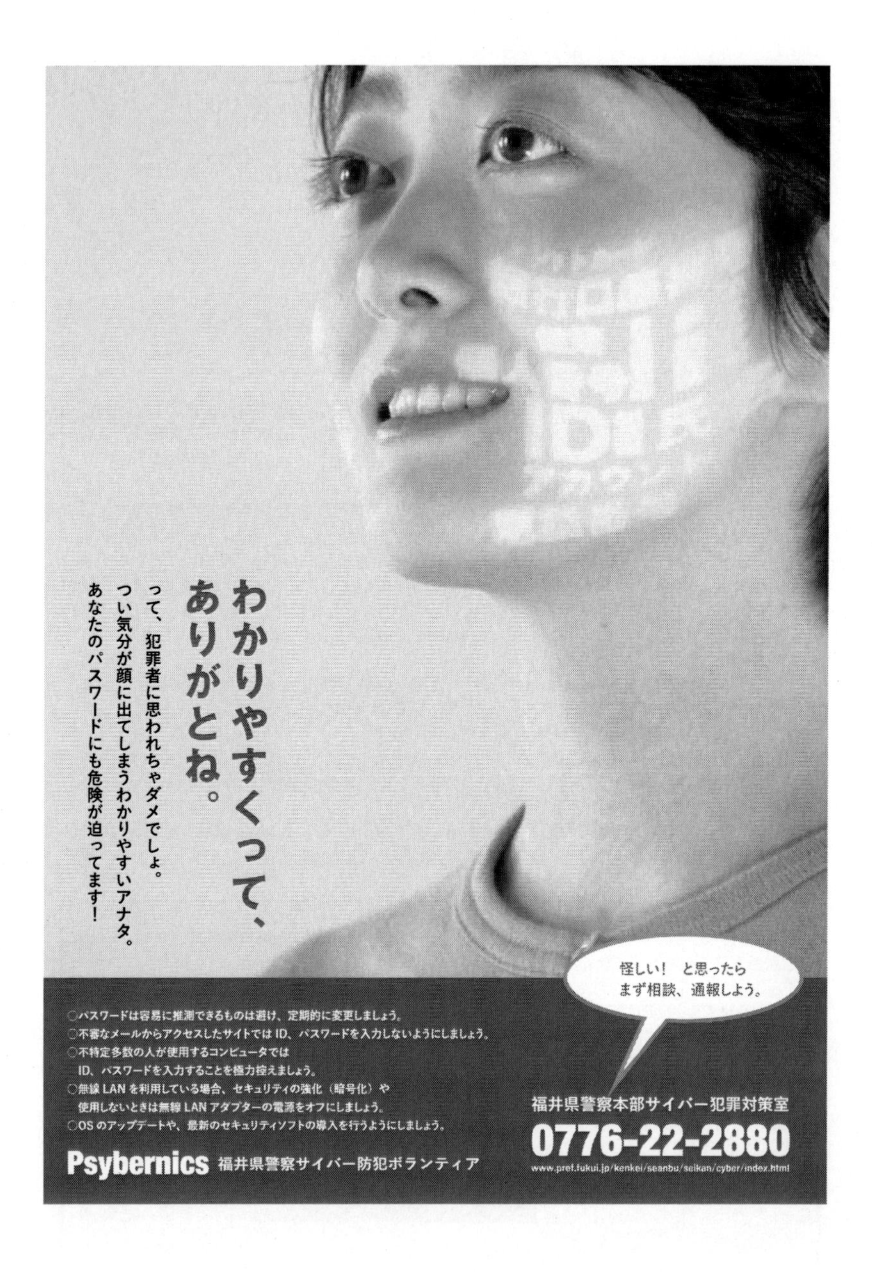
わかりやすくって、
ありがとね。
って、犯罪者に思われちゃダメでしょ。
つい気分が顔に出てしまうわかりやすいアナタ。
あなたのパスワードにも危険が迫ってます！
怪しい！ と思ったら
まず相談、通報しよう。
○パスワードは容易に推測できるものは避け、定期的に変更しましょう。
○不審なメールからアクセスしたサイトでは ID、パスワードを入力しないようにしましょう。
○不特定多数の人が使用するコンピュータでは
ID、パスワードを入力することを極力控えましょう。
○無線 LAN を利用している場合、セキュリティの強化（暗号化）や
使用しないときは無線 LAN アダプターの電源をオフにしましょう。
○OS のアップデートや、最新のセキュリティソフトの導入を行うようにしましょう。
Psybernics 福井県警察サイバー防犯ボランティア
福井県警察本部サイバー犯罪対策室
0776-22-2880
www.pref.fukui.jp/kenkei/seanbu/seikan/cyber/index.html

そのパスワード わかりやすすぎない？

パスワードのつけ方

自分だけの秘密の暗号を考えよう！

辞書攻撃とは・・・
不正アクセスを試みる手法の一種で、辞書に載っている単語を延々と試すことでパスワードを解読する解析方法です。さらに辞書に載っている単語に数字を加えたものや、大文字と小文字を混ぜたもの、単語を逆から綴ったものなども、パスワードの候補として試す仕組みになっています。

パスワードを設定するとき、どんなことを考えて設定しますか？私は、覚えやすさです。しかし、私が覚えやすいということは、簡単に他人にも暴かれてしまうということなのです。
名前や生年月日といった個人情報は、自分で忘れないのでいいやとつい使ってしまいますが、生年月日や名前は様々な場所で使うことがあります。たくさんの人の目に触れられてしまうものを、パスワードにすることが得策でないことは、私にもわかりました。
また、パスワードを定期的に変更することが大切とされていますが、私は一度もしたことがありません。しいて言うなら忘れたときくらいです。このような危機管理の甘さが、パスワード流出、そして個人情報流出につながってしまうのではないかと私は思いました。早速、下記のパスワードの付け方をもとに、変更しようと思いました。

パスワードは悪意ある第三者に知られると非常に危険なことになりますが、なぜ、「利用権者のパスワードの設定・管理の甘さ」といったようなことが起こるのでしょうか。それはパスワード管理に矛盾した暗黙のルールが存在するからなのです。
A：パスワードは大文字小文字数字等いくつかの文字種を混ぜ、無意味つづりであること」
B：メモなどに書き残さずに、頭で覚えること」
C：一定期間で変更し、サービスごとに使いまわさない」
Aでは複雑で覚えにくいものを求め、Bでは頭の中だけで（手軽に）覚えることを求めるという矛盾したことを要求する上に、Cでは、サービスごとに変える事かつ一定期間で変える事を求めています。
今、皆さんが利用しているネット上のサービスでパスワードが必要なものはいくつありますか。AとBだけでも矛盾した内容の上に、Cまで求められたら、人間の出来る能力を軽く超えてしまいます。
そこで、上記AとBを同時に満たすパスワードのつけ方の実例を少し紹介します。今後の参考にしていただければと思います。
数字・記号を当て字にして、自分にだけ意味のある単語にします。
数字の当て字は皆さん、歴史の年号を覚える際などになじみがあると思います。
記号は@（あっと），$（どる），:（コロン），( )（かっこ）など、使える記号と数字で語呂合わせを作るだけで良いです。1例を紹介します。

@!I$3ho3 …（あっと驚くアイドル美穂さん）
ore8(E)! …（俺はカッコいい！）
DaRuma3ga:DA! …（だるまさんが転んだ）

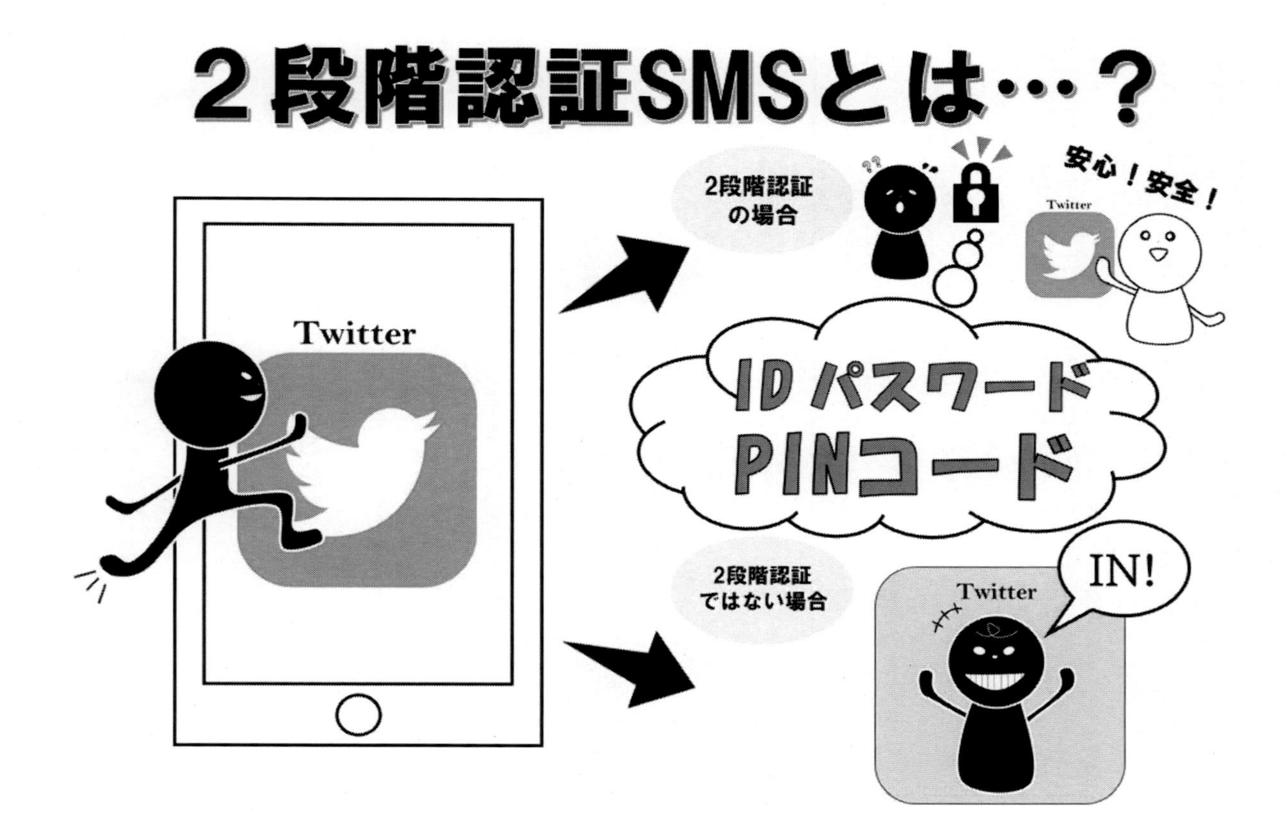
2段階認証SMSとは…？
Twitter
2段階認証
の場合
安心！安全！
Twitter
IDパスワード
PINコード
2段階認証
ではない場合
Twitter
IN!

鍵がとられても、守ってくれる存在があるってすごい！

2 段 階 認 証 の S M S

皆さん！2段階認証SMSを知っていますか？
(私は全然知りませんでした ^^)

2段階認証とは・・・
ログインパスワードとは別に認証を行うセキュリティ強化策のことです

2段階認証 SMSとは・・・
自分の電話番号を用いてショートメッセージでコードを送信し、届いた認証コードを入力することで本人認証する仕組みです。

これだけ聞くと、難しくあまり理解できないかもしれませんが、2段階認証 SMS をすることで「不正アクセス」や「不正ログイン」を防ぐことができます。
もし、自分のアカウントが悪意のある第三者に不正ログインをされてしまったら、自分だけでなく相手にも被害が及ぶ可能性かもしれません。
しかし、2段階認証 SMS をしていれば、悪意のある第三者によって認証を突破されるリスクは非常に低くなり、強固なセキュリティを実現することができるようになっています。実際に私の LINE にも「他の端末で、LINE にログインしたことを通知するメッセージです」というのが何回か来たことがあります。これは ID とパスワードは既に取られているという事のようで、2段階認証で SMS コードを相手が分からないから、LINE が乗っ取られていないだけという事を知りました。この後、すぐにパスワードは変えましたが、ほんとうに怖いです。

2015 年以降、増加したセキュリティ上の脅威の中でも、不正アクセスによる「なりすまし」等の被害に対応するため二段階認証が導入されるようになりました。従来の ID とパスワードのみによる 1 回だけの認証より安全な運用が可能になりました。特にパスワードが破られた後にも、もう一つの認証でブロックできるため強固なセキュリティとなっています。二段階認証では 2 回の認証を行いますが、その方法には様々なものがあります。パスワードによるものの他に、上記で説明している SMS を介した「コード」による認証や、指紋や瞳の虹彩などの生体情報を用いるものなどあります。
2019 年夏以降、金融機関が本人確認強化のため導入している 2 段階認証を突破するような詐欺サイトを用いた事案が報告されており、現在では 2 段階認証でも必ずしも安全とは言い切れなくなっています。
具体的な手順は下記の通りです。
① 金融機関を名乗り利用者に SMS を送付し、偽サイトへ誘導（フィッシング）
② 偽サイトで ID とパスワードを入力させる
③ 攻撃者は手に入れた ID とパスワードを正規サイトに入力
④ 金融機関から利用者にワンタイムパスワードが発行される（二段階認証）
⑤ 利用者はワンタイムパスワードを再度、偽サイトに入力
⑥ 攻撃者はワンタイムパスワードを正規サイトに入力

ネット社会で危険な目にあってしまったら

近年、インターネット（サイバー空間）をめぐる脅威は増加傾向にあり、サイバー犯罪に関する検挙状況も高い水準で推移しています。また、インターネット利用の低年齢化に伴い、未成年が被害者になるケースも増えつつあります。例えば、警察庁が公開している資料によると不正アクセス禁止法による検挙数のうち、55.4%が利用権者のパスワードの設定・管理の甘さにつけ込んだものです（Case6 参照）。不正アクセス禁止法違反に該当する行為の中で、もっとも代表的なものが他人のアカウントに不正にログインして操作する行為ですが、平成 30 年度の被害者のうち、4 人に 1 人は未成年となっています。ちなみに、もっとも多く被害がおきていたのが、SNS やオンラインゲームへの被害となっており、そう考えるとこの結果にも納得がいくかもしれません。最近では 2 段階認証や生体認証の機能がほとんどの端末で利用できるようになっていますが、使わなければ宝の持ち腐れです（Case8s 参照）。大切な個人情報やデータを守るためにも、インターネットを利用する際にはしっかりとしたセキュリティを心掛けましょう（Case5 参照）。

さて、もしみなさんの生活の中で、上記のようなインターネットを使った犯罪被害にあったり、あるいはあいそうになったりした場合、各都道府県警察本部のサイバー犯罪相談窓口で相談を受けることができます。サイバー犯罪やネットでの炎上事案など、自身での対処が難しい場合は、まずはこれらの相談窓口を利用しましょう。
相談窓口を利用する際に大事になってくるのは、よりスムーズに相談が受けられるように、「なぜ」、「何を」、「誰が」、「どこで」、「いつ」、「どのようにして」といった事項をまとめ、必要であれば参考資料などを用意することです（各都道府県警察の相談窓口は P84,85 に掲載しています）。

・有料サイト請求に関するトラブル
　⇒受信したメールやどこのサイトを利用したか記録

・オークショントラブル
　⇒どのサービスを利用したか、相手とのやりとりや連絡先、振込用紙等

・不正アクセスのトラブル
　⇒利用しているサービス、不正アクセスを受ける前の ID や PASS、どのようなことがおこったか

・掲示板や SNS
　⇒どこのサイトか、どのような文言が書かれたか写真などで全て記録しておく（後日消去される可能性があるため）

（安彦 智史）

ネット社会の危険性

本物を装い個人情報を盗む！

いつもと違うような…？その勘は間違ってないかも！

フィッシングメール

フィッシングメールは【詐欺】の入り口です。

> フィッシングメールとは・・・
>
> 本物の企業などになりすましてメールを送り、偽サイトに誘導して、個人情報を入力させて盗みます。
> 最近では本物とほとんど見分けがつかないほどメール文やサイトがそっくりです。

フィッシングメールに引っかからないための対策方法としては、メールにあるリンクを安易にクリックしないことです。最近は手口が巧妙化し、本物のサイトと同じ URL が表示されていても、実はリンク先が偽サイトということがあります。URL にカーソルを合わせたり、表示されている URL をコピーして文書に貼り付けたりして、実際の URL を確認する必要があります。

私は普段、自分が利用しているところからメールが来ると、そのメールにあるリンクからサイトに移動してしまいがちです。フィッシングメールについて、これまではすぐ気づくだろうと思っていましたが、最近は手口が巧妙化しており、本物と区別がつきにくいことを知りました。これからは、URL が本物であるかきちんと確認したり、少し面倒に思ってもメールのリンクからではなく、自分でホームページを開こうと思いました。

２段階認証（ Case8）のところで書きましたように、2019 年より２段階認証すらもフィッシングサイト（ 詐欺サイト）を利用して突破する事案が出ています。詐欺サイトへと誘導するメールはどうなっているのでしょう。実際に来たフィッシングメールから対策を考えましょう。下記のメールでは①，②のメールアドレスは実際の「 Amazon」公式のメールアドレスに偽装されています。しかし、本文中のリンク（「 今すぐサインイン」）のリンク先をクリックすると偽サイトへと誘導されます。それを防ぐためには、クリックするために、下部のリンク先を一度確認してください。

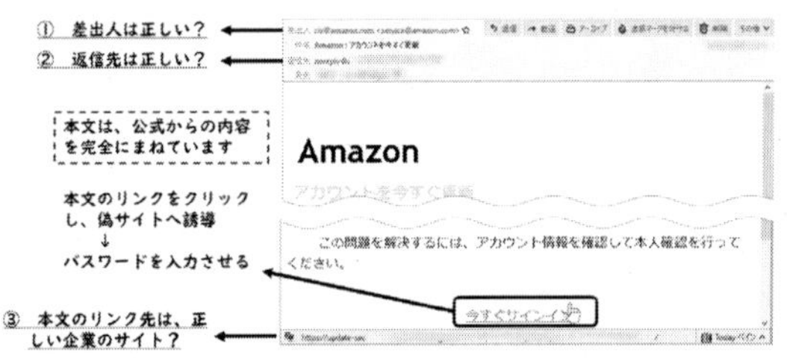

QRコード詐欺に
ご注意を
¥

その QR コード、正しいの？安全なの？

Q R コ ー ド 詐 欺

キャッシュレス決済で問題がおきています！

QR コード詐欺とは・・・
犯人が店員の隙を突いて、店舗にある読み取り用の QR コードの上から偽造した QR コードを貼り、店舗の売り上げを犯人の口座に送金させるという巧妙な手口の詐欺のことです。

近年、スマートフォンの普及は年代に問わずどんどん進んでいます。さらに、スマートフォンが普及するにつれ、「キャッシュレス化」も進んでいます。ご存知の方も多いのではないでしょうか。さらに、日本政府もキャッシュレス化を推進しています。しかし、そこで問題が起きているのです。

上に書かれている QR コード詐欺はお店に貼ってある QR コードを書き換えることによって、送金先を変えるという方法で被害はお店の方にあります。しかし、調べるとそれだけではないようです。QR コードを表示させた状態で並んでいた人の QR コードを読み取り、その被害者の QR コードで会計を済ませたという実例もあるようです。これですと、自分の知らないうちに、自分の決済方法で決済が行われてしまっているという事です。

情報化社会がどんどんと進み、便利になっていく一方で、私の知識がなかなか追いついていかない現状があります。ネットでの買い物だけでなく、実際の店舗でもスマホで気軽に買い物が出来るようになってきている時代です。これからもどんどん私の知らない未知の世界が展開していくのだと思います。そういう時代だからこそ、皆さんも最低限、キャッシュレス決済についての知識は知っておきましょう!

2019 年 5 月 23 日に愛知県警が栃木県の 21 歳男性を詐欺の疑いで逮捕したと発表しました。逮捕容疑はスマートフォン向けの QR コード決済サービス「PayPay」に他人のクレジットカード情報を登録して家電をだまし取った疑いでした。この事件は、QR コード決済サービスに係る詐欺事件としては全国での初検挙でした。この事案はクレジットカード情報登録時の本人確認が不十分で起きた問題でした(現在では対策済みです)。

2019 年 7 月には全国的に大きく話題になった「セブンペイ」不正アクセス事件が起こりました。コンビニ最大手セブン - イレブンの公式アプリに組み込まれた 7pay というスマホ決済サービスが不正に使われた事件です。事件の概要は次の通りです。2019 年 7 月 1 日にサービスをスタートさせましたが、翌日 7 月 2 日に利用者より「身に覚えのない取引がある」と問い合わせがあり、7 月 3 日に社内調査を行った結果、不正利用が発覚し、7 月 4 日には全てのチャージと利用の一時停止を決定しました。たった 4 日間の出来事でした。被害総額は 5500 万円にのぼるといわれております。この事件の原因はサービスを利用するための共通 ID「7iD」のパスワード管理によると言われております。詳細は割愛しますが、他人がパスワードを簡単に変更できるという点にありました。ID とパスワード以外にセキュリティコードや SMS 等で追加認証する「二段階認証」(Case8)に対応していないなど、セキュリティに対しておざなりであったことが非難されていました。

このように新しい便利なサービスが始まれば、それを悪用しようとする人々もいます。サービスを提供する側・利用する側のセキュリティ意識を高める必要があるといえます。

本物ですか？
そのサイト
詐欺サイトに登録したら
個人情報が他の悪徳業者に流れる
今だけ
激安
個人情報が新たな
詐欺に利用される
南京錠アイコンがない
未暗号化サイト
売り切れ続出
偽サイト
商品が
届かない
不可
違和感のある
日本語
サイバー犯罪
お急ぎください！
注文していなくても
キャンセルしても危険
登録ID・パスワードを
無断で利用される
福井県警察本部サイバー犯罪対策室
http://www.pref.fukui.jp/kenkei/seanbu/seikan/cyber/index.html
Psybernics　福井県警察本部サイバー防犯ボランティア

本物そっくりの 偽物にご注意を!

偽　サ　イ　ト

お買い物の前にちょっと待って そのお店、本当に実在しますか？

スミッシングとは・・・(別名 SMS フィッシング)
スマートフォン等の SMS に金融機関や EC サイトなどを装った偽のメッセージを送り、特定の偽サイトへ誘導・課金する手法。金融機関等で SMS を用いた二段階認証(Case8)が多用されるようになったことから、SMS を用いた詐欺行為も見られるようになった

偽サイト、と聞いてもおそらくピンとくることはないと思います。しかし、こういったものは世界中に蔓延しており、あの手この手で買い手をだまそうとしてくるのです。

ネットでの買い物は便利で、私もよく使っています。ネットサーフィン中にみつけたサイトを飛んで、その先にまた移動して、と繰り返しているうちに、変なサイトにいつの間にか移動していた!という経験は、ネットでほしいものを探していると陥りがちです。使い慣れた通販サイト以外は使わないように気を付けるか、普段使いなれない通販サイトを使う時は下記のことに注意して、いい買い物ができるようにしたいなあと思います。

また、使い慣れたサイトでも、それを模した偽のサイトの場合もあります。使い慣れているからと言って油断せずに、注意して使う必要があると思います。

ネット通販を利用されている人も多くいます。ポータルサイトで欲しい商品を検索し たら、ある通販サイトが表示され、あなたの欲しいものが売っています。つい何も考えずに決済処理をするということもあるかもしれません。しかし、いくら待っても商品は一切送られてこない、そんな詐欺事件が報告されています。そのサイトは偽サイトだったのです。そういった偽サイトに引っかからないためにも、買い物をしようとするサイトはどのような企業が運営しているのか等の情報をしっかり見極めてから、購入しましょう。下の図を参考にしてください。

～こんなサイトには御注意!～

URL が不自然
http://www.○△×□-shop.com
●●ショップ
字体(フォント)に通常使用されない旧字体が混じっている
人気ブランド■■のバックで、今期最も注目されている最新モデル!
在庫あり
50,000円→10,800円 80%OFF
極端に値引きされている
△△のロゴが刻印された上品なデザインが人気の財布!
在庫あり
35,000円→3,500円 90%OFF
住所が番地まで記載されていない
電話番号がなく、連絡先が E メールしかない
会社概要
○○ショップ販売店
住所:東京都千代田区
連絡先:○○@abc.com
■支払方法について
銀行振込
■送料・配送について
送料無料!三日か五日届けます!
支払方法が銀行振込のみ
機械翻訳したような不自然な日本語表現がある。

消費者庁 インターネット通販トラブル:
https://www.caa.go.jp/policies/policy/consumer_policy/caution/internet/trouble/internet.htmlより

ID
パスワード
なりすまし
侵入

ちょっとした出来心で 人生がめちゃくちゃに！

不 正 ア ク セ ス 禁 止

「不正アクセス」と聞いても、自分には関係ないしどうでもいいと思っていませんか？

不正アクセスとは・・・
本来アクセス権限を持たない者が、サーバや情報システムの内部へ侵入を行う行為です。その結果、サーバや情報システムが停止してしまったり、様々な情報が盗まれたりしてしまいます。

SNS を乗っ取られた、個人情報が流出していたなど、これらは不正アクセスによるもので、自分の知らないうちに起きてしまいます。

このような被害に遭わないためにも、パスワードを複雑にすること、２段階認証をしていくことなどがあります。実際、「 パスワードはこまめに変えなさい」「 難しいパスワードにしなさい」 など聞くことが多いと思いますが、私自身も同じパスワードを色々なところで使い回していました。

よく聞くけれど、正直覚えていられないし、面倒くさいという気持ちがすごく大きかったです。しかし、全部同じパスワードにすると、このような被害にあった時にすべての情報が他者に知られてしまいます。言葉を数字に置き換えてみる (hana → 8nA) など、ちょっとした工夫で複雑なパスワードにすることができるのでやってみて下さい。また、これらだけではなく、セキュリティソフトを入れたり、アップデートをこまめにしたりしていくことも重要です。

不正アクセス行為後の行為別認知件数（2019年）	
メールの盗み見等の情報の不正入手	385
インターネットバンキングでの不正送金等	330
オンラインゲーム・SNSの不正操作	199
仮想通貨交換業者等での不正送信	169
インターネットショッピングでの不正購入	149
インターネット・オークションの不正操作	29
知人になりすましての情報発信	24
ウェブサイトの改ざん・消去	13
その他	188
合計	1,486

「令和元年版　警察白書」より作成

この情報化社会では、ネット上やスマートフォン，PC などの様々な端末に私たちの個人情報をはじめとした大切な情報があります。それらを守る“ 鍵” がパスワードなのです。本書においてもパスワードの重要性について取り上げています（ Case5 ～ 7）。パスワードが私たちを守ってくれる最後の砦なのです。では、何らかの方法で（ Case6 参照） パスワードを不正に入手した人たちは、一体何をしているのでしょうか。

左の表は 2019 年に不正アクセスをしたものが不正アクセス後に行った行為です。メールや LINE 等の個人の情報取得が一番多く、次が不正送金という順番になっております。

※ソシャゲのフレンド募集・・・プレイヤーがソーシャルゲーム上において強いプレイヤーや自分が求めているプレイヤーを募集する手段。主に専用サイトやSNS上で行われる。

楽しむなら、正規の方法で！

アカウントの乗っ取り

ソシャゲの乗っ取りと聞くと何を思い浮かべますか？

＊ソシャゲ　＝　ソーシャルゲーム

ソーシャルゲームとは・・・
SNS をプラットフォームとして展開しているゲームで、オンライン上の SNS にアクセスしてその中で遊ぶゲームの事です。SNS のサービスに登録してから遊びます。SNS 上の友達と対戦したり協力したり出来るのが特徴です。

【漫画の解説（左)】

①
あるユーザーが求める条件を満たした特定のユーザーを募集するために SNS などを利用している場面です。
特定のユーザーを自分のフレンドに登録することで自分がそのユーザーを多く使うことが可能になります。

②
アカウントを売却し，利益を得ようとしている悪質な業者が SNS でフレンド募集をしている強いユーザーのアカウントを狙っている場面です。
特に強いプレイヤーが狙われやすい傾向があります。また，業者はユーザーがフレンド募集をするために開示した情報（ID や使用キャラなど）だけでなく，そのユーザーの SNS アカウントに記されている細かい情報も把握している可能性があります。

③
業者がユーザーの SNS アカウントから得た情報を元にソシャゲの運営にアカウントを返してほしいという嘘の報告をし，強いユーザーのアカウントを乗っ取ろうとしている場面です。

④
業者が強いユーザーのアカウントの乗っ取りに成功し，そのユーザーがソシャゲを起動した時，データが初期化された画面（利用規約）を見て困惑している場面です。
このような事態になった場合，警察でも捜索が難しい傾向にあり，アカウントが返ってくる可能性は極めて低いです。対策として、1 日に 1 回ログインする，SNS にソシャゲのスクショをむやみに上げない等といった事が必要です。

作成者

ウイルスを作成すると...

不正なウイルスを作ると‥

懲役3年以内または50万円以下の罰金

中学校3年間またはゲームカセット100台分

使用者

ウイルスの症状

・コンピュータに膨大な負荷をかけ、コンピュータの電源が勝手についたり消えたりする

・セキュリティソフトを停止させられてしまう。例：ファイヤーウォール

・大事なファイルを書き換えられ、破壊されてしまう。

14 ウイルスを作って滅びるのは、あなたの人生です

ウイルスの作成

コンピュータウイルス（以下、ウイルス）を作成することはいけないことです。

コンピューターウイルスは・・・
PCやスマートフォンなどのコンピューターに侵入し、内部のファイルに寄生・改変して、様々な悪い行為を行うプログラムで、自己増殖する機能を持っています。

皆さんはそんなウイルスに感染するようなことはないと思いませんか？
私も思っていました。しかし現状、ウイルスは巧妙に作られ、使用者はなにも気づかずにウイルスを入れてしまうことが良くあります。
実は、私もパソコンにウイルスが侵入してそのパソコンの操作がとても重くなることがありました。調べてみるとウイルスに感染しており、すぐに改善しました。
ウイルスの症状の代表例はどういうのがあるのでしょうか？
1つは、ウイルスが作動して負荷がかかり、勝手にPCの電源が落ちたり再起動したりしてしまうことです。
もう1つは、ウイルスがセキュリティソフトを停止してしまうというのが挙げられます。
何かPCの操作がおかしいと感じたら、すぐに調べてみましょう！

ネット上には様々な情報があります。そのような情報を活用すれば、少し知識がある人ならばウイルスを作成する事も容易な時代になっています。それに伴い2011年の刑法改正で「不正指令電磁的記録に関する罪」が追加されました。難しい名前ですが、簡単に言えば、コンピューターウイルスを作成したり、他人から取得したりすることを禁じるものです。いくつか事例を紹介します。
2017年10月、当時17歳の高校生が自作のウイルスを仕込んだソフトを作成し、モナコインの通貨相場をリアルタイムで見るためのソフトと称して、インターネット上の掲示板に公開。これを閲覧した男性会社員のパソコンをウイルスに感染させ、モナコイン（日本初の暗号通貨）を口座から引き出すのに必要な「秘密鍵」と呼ばれるパスワードを不正に取得し、約1万5000円相当のモナーコインを不正に引き出されてしまった事件があります。
2014年12月、広島市内のホテルで岡山大学の助教（32）が女子高生（12）のスマートフォンに位置情報の検索と音声の録音などが出来る2種類のアプリをインストールした疑いで2015年3月11日不正指令電磁的記録供用（ウイルス供用）の疑いで再逮捕されました（被疑者はすでに別の容疑で逮捕されていました）。
2015年4月9日、奈良県警は不正指令電磁的記録供用容疑で会社員の男性（35）を逮捕しました。逮捕容疑は、何と自分の奥さんのスマートフォンに無断で遠隔操作アプリをインストールし、遠隔操作できる状態にしたとしています。
このように、気軽にウイルスを作成したり、他人のスマートフォンやパソコンにインストールできる時代だからこそ、普段使っている端末がおかしいと感じた際には、一度、確認してみるとよいと思います。

アイドルの写真

docomo
1:10
38%
とりちゃん @__
tyosakuken
4分
このドラマのラストシーン感動した
（；＿；）
みんなに観てほしい！！！
ドラマのスクショ
1
1
2
パクツイ
とりちゃん @__
tyosakuken
5分
(......きこえますか...読者の方...このページを担当する者です......今... あなたの...心に...直接... 呼びかけています... このツイートをパクツイだとおもってくださ
い...私の表現力ではこれが限界です
1
1

SNSで共有するだけ？いいえ、それ著作権侵害です

著　作　権　法　違　反

あなたは、知らず知らずのうちに著作権を侵害していませんか？

著作権とは・・・
私たちが日々楽しむドラマや、音楽などの作品は、それを作った人がそれぞれ自分の考えや気持ちを表現したものです。そして、この表現されたものを「著作物」、著作物を創作した人を「著作者」といい、法律によって著作者に与えられる権利を「著作権」と言います。

左のイラストのように、芸能人の写真をアイコンに使うこと、映画やドラマなど作品をスクリーンショット又はダウンロードし投稿すること、パクツイ（ほかの人のツイートをあたかも自分の文章であるかのようにツイートされたもの）は、全て著作権法違反にあたります。また、「みんなに良さを知ってもらいたい!」と好きなアーティストの音楽を載せることは良かれと思った行為でも著作権侵害です。では、テレビ画面を撮って載せるのは?友人が撮った自分とのツーショット写真は誰のもの?普段自分が載せているものの著作権はどこにあるでしょうか。調べていくと面白いこともたくさんあります。

著作権について学び、誰も傷つけることなく楽しくインターネットを利用しましょう!

多くの人たちがSNSを利用した情報発信をしています。中にはYouTubeやニコニコ動画,TikTokなどで動画を配信している人もいます。この情報化社会の大きな特徴は私たち一般人も気軽に情報発信できる社会といえます。しかしそこに大きな問題が潜んでいます。私たちが情報発信できるのは、自分が権利を有している物だけなのです。他人が作ったものは許可なく発信してはいけません。平成30年だけでもサイバー犯罪のうち著作権法違反での検挙件数は691件に上ります。約1日に2件弱は検挙されている計算になります。ネット上で情報を発信する人すべてにかかわる問題です。

2017年12月に人気漫画「ワンピース」の発売前の画像データをウェブサイトで公開していたとして、著作権法違反の罪に問われた秋田市のウェブデザイナーに対して、懲役1年6カ月執行猶予3年、罰金50万円の判決が下されました。2019年4月には人気アニメの動画をインターネット上に違法に公開したとして、大阪府警が著作権法違反の疑いで三重県の会社員（29）を逮捕しています。更に2019年10月にはテレビのプロ野球中継を動画投稿サイトYouTubeにリアルタイム配信したとして京都府警はインターネット関連会社役員の男を逮捕しました。このような事案は後を絶ちません。TwitterやYouTubeには著作権に違反した事例が非常に多く目につきます。自分が権利を有していないものは情報発信してはいけないということを、しっかりと知っておいてください。

また2010年1月に施行された改正著作権法により、違法に公開された音楽や映像と分かっていながらダウンロードする行為のうち、市販のCDやインターネット配信で販売されている音楽と知りながらダウンロードする行為が刑事罰の対象になりました。著作権に関しては非常に難しい問題です。一度、皆さんも調べてみてください。

身近で怖いなりすまし被害

もっとも身近でもっとも質の悪いネットの危険ってなんでしょう？
もちろん、立場や状況、使っているサービスなどにより一概には言えないのですが、私が個人的な意見として一つ挙げるなら「SNSでのなりすまし」だと思います。「なりすまし」とは、インターネット上で第三者がまったく別の他人になりすまして不正行為を働くというものです。インターネット上では、特別な技術が無くても、誰でも簡単に他人になりすますことができます。名称変更を行うだけでなりすましが可能です。これってすごい怖いことだと思いませんか。もしかすると、この本を手にしている貴方の知らないところで、貴方になりすました誰かが、貴方のフリをして、いろいろな会話をしているかもしれないということです。

実は、私の学校でもつい最近なりすまし被害がありました。
ある日、女の子からInstagramでなりすまし被害にあって困ってると相談をうけました。
ほぼ同じ名前、プロフィールも画像も同じアカウントが作成されており、その女の子のフォロワーに「アカウントを新しくしたので、次からこっちでお願いします(^^♪」と送っていたようです。そして、登録したフォロワーに女の子が絶対にしないような質問をたくさんしていました。
その後、さすがに変に思ったフォロワーの一人が別のSNSなどを通して本人に確認してきたことから、なりすましアカウントがあることが発覚しました。
その女の子はとても傷つきとても怒っていました。
この相談を受けて調査を開始したところ、いろいろなことがわかってきました。
まず、フォロワーの中でも、質問をしているユーザ層に偏りがあること。次に、被害があった女の子と同じ学校、同じ学年の女性ばかりが被害にあっていること。そして、ある程度女の子の存在を現実で認知していないとできない質問を行っていることなどです。調査を進めた結果、犯人は同じ学校で同じ学年の男の子であることがわかりました。

このように、SNSでのなりすましでは、自身の身近なところに犯人がいる事例もたくさんあります。しかし、例え自分の顔画像、名前を使われたアカウントが存在していても、よっぽど親しい友人などではない限り、そのアカウントが偽物と気付くことはできないのではないでしょうか。インターネット上で他人の名前を名乗る行為自体は犯罪ではありませんが、身近な人になりすまされた場合、そこには明確な利益や悪意があるケースがあります。

そして、これらの被害にあっても、単に気持ちが悪いとか不快な思いをした程度では、犯人を訴えることも困難なのが実情なのです。

（安彦 智史）

34

スマートフォンに潜む危険

ふふ、見えちゃった。

ロック画面の通知！他人に見られても平気？

ロック画面に通知

ロック中の通知、
それでも分かること、
出来ることはたくさんあります。

ロック画面・・・
画面消灯時に電源キーを押すと表示される画面。悪用を防ぐため暗証番号認証や、生体認証などでロックをより強固なものにできます。またロック中であっても通知等が表示されるほか、緊急電話（110：警察，118：海上保安庁，119：火事・救急）にかけることができます。

ロック画面に出てくる通知、とても便利ですよね。
「明日の予定どう?」「1時から集まれる?」
いちいちスマホのロック解除しなくても、ロック画面の通知で内容分かるのですから。
でも、そんな便利な機能だからこそ、落とし穴もあったりします。
もしそれを他人が見ていたら？
「へぇ、こいつ明日あそこに行くんだ!」
私も、今回このページを担当していて気づきました。
スマホはロックしていても安全ではないのです。
実はロック中でもできることがたくさんあるのです。
・ロック中でも、来たメッセージが表示される → 返信できる機能もあります
・ロック中でも、Siri が使えます → 通話履歴やスケジュールの分かる機能があります
もしロック中に誰かに通知画面を見られたら、個人情報などの重要な情報を知られてしまう危険性があります。だから、一度「設定」から通知の設定を確認してみてください。アプリの通知をロック画面に出さないようにしたり、最近の機種だと「プライバシー」への配慮をしてくれる機能があったりします。
一度、スマホの通知を見直してみてください。

年齢別のスマートフォンの利用方法

	6-12	13-19	20-29	30-39	40-49	50-59	60-69	70-79
ソーシャルメディア・メール送受信	11.6	74.8	77.1	79.4	82.9	81.3	65.9	64.7
ネットショッピング	1.7	30.8	56.2	58.4	49.8	34.1	18.4	12.5
インターネットの検索等	15.9	71.5	79.3	80.3	82.3	77.8	65.8	54.3
動画・音楽視聴	22.9	80.7	72.5	60.7	52.7	34.7	26.5	10.9
万歩計や血圧測定等	-	0.8	6.1	10.7	10.5	12.7	19.8	29.9
カード・電子マネー等	-	0.6	6.4	10.4	10.7	7.2	4.7	3
情報家電の操作等（センサー）	-	-	0.8	2.1	1.7	1.8	1.3	0.6
決済・送金サービス	-	0.6	4.7	4.6	2.7	3.9	2.1	0.7
無回答	68.2	6.9	6.7	5.6	3.5	4.6	12.8	12.2

総務省「平成29年通信利用動向調査」より作成

12:34
90%
チャージ
残高
預金通帳
□□銀行
CREDIT
1234 5678
NAME
10000
日本銀行券
壱万円
日本銀行
100

それって電話？お財布？ あなたの生活そのもの！

スマホ決済

スマートフォンの中には、生活必需品が入ってます！

スマホ決済
お会計の際に、お金を出すのではなくスマートフォンで支払いをすませる方法です。
非接触型決済とQRコード（バーコード）決済の二通りがあります。

今やスマートフォンは私たちの必需品のほとんどをその一台の中に搭載していると言っても過言ではありません。特に、近年政府にも推奨されているキャッシュレス決済は簡単な登録や操作で誰でも利用することができます。私たちはそのセキュリティについて知る必要もありますが、それ以上にこの便利さの意味を考える必要があるのではないでしょうか。従来通帳や印鑑、クレジットカードは大切に保管され人の手に渡ることはほとんどありませんが、それが常に持ち歩き置き忘れや紛失の多いスマホという媒体の中に集約されていることで、簡単に人の手にも渡るという意味にもなります。自分にとって便利であるということは、同時に悪用する側にも便利と言えるのではないかと思います。「スマホを落とした」が「通帳と印鑑とクレジットカードと身分証明書と現金と携帯電話とその他いろいろを落とした！」になり得ると言えば、その危険性は明らだと思いませんか？私自身、「スマホどこに置いたっけ…」なんてことも頻繁にあるので、恐ろしい限りです。

現在の主なスマホ決済サービス	
通信・IT系	d払い
	Pay Pay
	楽天ペイ
	Line Pay
	Origami Pay
	メルペイ
コンビニ系	セブン・ペイ
	ローソンスマホペイ
	ファミペイ
銀行系	Jコインペイ

現在、多くの小売業や外食産業の店頭でスマートフォンを使った電子決済が急速に拡大しています。筆者の良くいく小さな町のカレー屋さんも先日久しぶりに訪れたら、PayPayのマークが。店主さんと話していると「皆さんPayPayで払いますね」とのこと。このように町の小さな店でもスマホ決済が出来るようになる一方で、セキュリティ面での問題も浮上してきています（Case10参照）。本人確認の問題だけでなく、破られにくいパスワード設定（Case5～7参照）など私たち自身でできる対策もしっかりとしていく必要があります。スマホ決済サービス自体は、私たちの生活をより便利にしてくれるものです。今後も様々な利便性を追求したサービスが増えていくことが予想されます。自分の身は自分で守れるようにしっかりとした知識をつけていくと良いですね。左図は現在の主なスマホ決済サービスです。

アプリの権限
しっかり理解してますか？

権限の許可って、そんなに気軽にやって大丈夫？

アプリ権限

スマホのいつも使っているアプリ、スマホにどんな影響を及ぼしているか知っていますか？

アプリの権限

アプリの権限とは、「そのアプリがデバイスのどの機能や情報にアクセスできるか」のことです。スマホのアプリは権限を持つデバイス以外の処理は実行できないため、迷惑アプリ等による被害を未然に防げます。

スマートフォンには便利なアプリをたくさん入れることができます。でもそれらのアプリが扱う情報は全部、個人情報なのです。非常に便利なのですが、そのアプリの事をちゃんと知っていないと、知らないところで自分の情報が抜き取られたりする可能性があるみたいです。アプリが自分のどんな個人情報にアクセスしているのか（アプリ権限）くらいは把握しておきたいものですね。アプリの権限で許可した機能や情報はすべて正しく利用される保証はありません、安全にアプリを利用するために今一度ご自身のアプリの権限を確認してみてはいかがでしょうか？

“おサイフケータイ機能”を搭載したスマートフォンだけでなくPayPayなどのQRコード決裁サービスも始まり、スマートフォン一つでお買い物から趣味の時間まで日常生活が何不自由なく行える時代です。まさにスマートフォンの中は個人情報の宝庫です。

当然、それを狙ってくる悪い人もいます。スマートフォンは様々なアプリをインストールすることで便利な機能やサービスを受けられます。そのアプリを使って、皆さんのスマートフォンの中の情報を手に入れようとする人々もいます。

独立行政法人情報処理推進機構（IPA）が2018年に発生した社会的に影響が大きかったと考えられる情報セキュリティにおける事案を基に、2019年1月に公表した「情報セキュリティ10大脅威」が右記の表です。フィッシングメール等による個人情報の詐取（Case9参照）に続く3位に「不正アプリによるスマートフォン利用者への被害」が入っています。年々不正アプリによる被害が増えています。アプリは気軽に入れられるため便利ですが、そのアプリの制作者は？自分のスマートフォンの何にアクセスするのか？今一度、確認してみるとよいと思います。

「2019年 情報セキュリティ10大脅威」【個人】	
1位	クレジットカード情報の不正利用
2位	フィッシングによる個人情報の詐取
3位	不正アプリによるスマートフォン利用者への被害
4位	メール等を使った脅迫・詐欺の手口による金銭要求
5位	ネット上の誹謗・抽象・デマ
6位	偽警告によるインターネット詐欺
7位	インターネットバンキングの不正利用
8位	インターネットサービスへの不正ログイン
9位	ランサムウエアによる被害
10位	IoT機器の不適切な管理

IPA(2019)「情報セキュリティ10大脅威」を基に作成

あなたの位置、
バレてます。
@g_PS
学校の帰り！
空きれい〜
大丈夫？GPS

どこにいるのかバレてるって恐くない？

G P S 機 能

あなたの位置情報サービスの使い方は大丈夫？

位置情報サービスとは
GPS，公衆 Wi-Fi アクセスポイント，携帯通信網の基地局の位置情報などを利用して、利用者の今いるおおよその現在地を検出し、それに応じた情報を提供するサービスです。

最近、10 代の間で位置情報を友達間で共有(追跡) できるアプリが大流行中。ID を交換すると、アプリのマップ上で相手が今どこにいるかを確認できるイマドキのアプリ！友達、子ども、恋人の位置が知りたいときなど、様々な場面で便利です。しかし、誰とでも ID の交換が出来るため、一歩使い方を間違えると自宅の場所の特定やストーカー被害にもつながり、かなり危険です。

多くのデジカメやスマホには位置情報サービスがついており、写真を整理する際や振り返る際に便利です。しかし、撮った写真をネットにアップするときには要注意！写真には「 ジオタグ」と呼ばれる、緯度や経度などの撮影位置情報がつけられており、専用のアプリなどで、写真の撮影場所が特定されてしまうのです。人の顔や目印となる建物が写っていないから大丈夫、という考えでは危険です。必要がないときは位置情報サービスの設定をオフにしたり、ネット上に公開するときはジオタグを消去するアプリを使うなど、万全な対策をしましょう。

GPS 機能の便利さの裏には、これらの他にもたくさんの危険が潜んでいます。場所の特定やストーカー被害に遭う危険はもちろん、人間関係が崩れることも…。アプリをダウンロードする際に自然と位置情報サービスがオンになっていることもあるので、一度設定を確認することをオススメします。便利さの裏に潜む危険にご注意を。

≪実際に聞いた！GPS 公開アプリ利用者の危険な実態≫

・「 マップに表示される滞在時間が長い場所や、滞在している時間帯をみればその人の自宅場所が推測できる。充電残量でもわかるし…」(大学生・男)

・「 ツイッターで ID を投稿して友達募集してるから超友達多いよ～！誰これ?って人も沢山いるけど。距離が近くなると電話発信できるのが少し怖いかな。」(高校 3 年生・女)

・「 仲の良いグループが、休日に自分以外で同じ場所にいた。みんな用事があって私と遊べないって言っていたのにひどい。」(高校 2 年生・女)

令和元年12月1日より

「ながら運転」の罰則等の強化

「ながら運転」をした場合…

懲罰

6ヶ月以下の懲役又は10万円以下の罰金

反則金

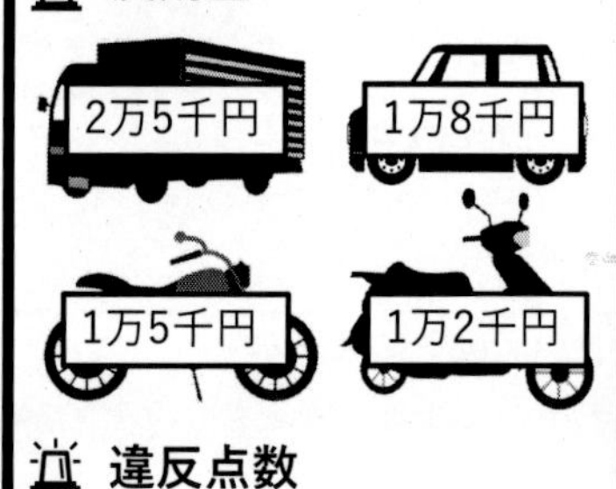

違反点数

3点

「ながら運転」が交通事故などの危険に結びついた場合…

懲罰

1年以下の懲役又は30万円以下の罰金

違反点数

6点＝**一発免停**

その情報、今じゃなきゃだめですか？

運　転　中　の　ス　マ　ホ

車だけではない！自転車だって十分危険 運転中のスマートフォン！

ながら運転とは・・・
スマートフォンやカーナビなどの画面を注視したり、携帯電話で通話をするなど運転以外の行為をしながら、自動車や自転車などを運転することです

「ながら運転」と聞いて、免許を持っていない人は関係ないと思っていませんか？
実は、自転車に乗りながらスマホを触ることも「ながら運転」なのです。都道府県によって懲罰は違いますが、一般的に自転車に乗りながらスマホを触った場合、5万円以下の罰金が科せられます。それだけ、現代では「ながら運転」が警戒されているということです。もし、あなたが「ながら運転」で交通事故を起こしたらと想像してみてください。運転中にスマホを触っただけで、自分の人生はおろか他人の人生を台無しにしてしまうかもしれないと考えたら、怖くないですか？「ちょっとスマホを触るだけだから大丈夫。」という考えが取り返しのつかない事故につながることもありえるのです。スマホを触りたい時は、赤信号の時で停車している時や完全に車が止まっている時に触るようにしましょう。運転者としての責任や自覚をもって、「ながら運転」をやめて自分たちの手で安全な地域をつくっていきたいですね。

≪時に身を亡ぼすことにもつながる自転車ながらスマホ≫

2018年8月27日、横浜地裁川崎支部で元女子大生（当時20歳）に、重過失致死罪で禁錮2年執行猶予4年の判決が下されました。彼女は2017年12月7日午後3時15分ごろ、川崎市の市道で自転車を運転中に歩行者の女性（当時77歳）にぶつかり、2日後に脳挫傷で死亡させるという事故を起こしました。判決によりますと、彼女はイヤホンで音楽を聴きながら、右手で飲み物を持ちながらハンドル操作を行い、もう片方の手でスマホを操作しており、スマホをズボンのポケットにしまおうとした際に事故を起こしたそうです。彼女の場合、自転車保険に入っていたため、損害賠償も支払われる見込みであることなども考慮されて比較的軽い判決となっています。
このような刑事罰だけではありません。人を死なせた場合、賠償責任を負うことになります。2008年に62歳の女性が男児の運転する自転車にはねられ植物状態になってしまった事故に対して、2013年に男児の保護者に対して9,500万円の支払いを命じる判決が出されております。自転車の運転中にスマホを操作してしまう、ほんのちょっとした出来心でも一生を台無しにしてしまう可能性があるのです。

ほんの 10 数年前には未来だった。

スマートフォンの出現（発明）で、文明社会の生活が激変したと言っても大げさではない。あまりにも急速に、しかもスムーズに普及してしまったのは、その仕組みやコンセプトが単純で使い勝手に相当優れていたからだろう。ハードウエアとしては操作ボタンやスイッチが少ない、だからトリセツも無いに等しい。ほぼアプリケーションが無限の機能を持つので、通話なんて役割のごく一部でしかない。未来の夢のように語られていた『誰もが、いつでもどこでも、好きな時に好きなことを楽しんだり、サービスを利用できるユビキタス社会』が、なんのことはない、現在そうなってきてる。若者たちは日用品のように、なんでこんなことができると疑うこともなくサービスを活用し、どんどん社会と繋がってゆく。ポケットベル（若者は知ってるか?）の利便性に感激した世代としては、その浸透ぶりが見えない何かに支配されてるような、なんとも言えない強迫観念も感じるのだが。しかし自分自身、もうフィルムカメラには戻れないし、授業や講演で投影型のスライドプロジェクターも二度と使わないだろう。おそらく。どっぷりとiPadやPDFの恩恵に浸っていて、そこには疑問も問題もまったく感じていないのは、現代の若者と同じ。

（西畑 敏秀）

生まれながらのネット世代の死角。

かつては…昔は…あーだったこーだったと、不自由だったけどよかった、なんて回想してもしょうがない。物心ついた頃には、ネットもスマホも普通に周りが使っているし、便利さどころか日常生活の必需品に近くなっているのだから。問題は仕組みもソフトウエアも、根本は人が作ったものだから、必ずそれを利用して『悪さ』するヤツが出てくる。これは遠い昔からなぜか変わらない。悲しいけれどそれも人の習性なのか。いつの時代も必ずそういうことにアタマが働くヤツが後を絶たない。10年以上前、まだスマホも普及していなかった頃、当時大学生だった次女がケータイで見たサイトから入会金を振り込まないと弁護士から通達が入って…という脅迫メールに驚いて2万円を振り込んでしまったことがある。すぐ金融機関に連絡したが、時すでに遅し。なんてこともあった。今では日常茶飯事かもしれない。取り締まりやセキュリティがいくら強化されようとも、それを超える次のワル世代が次々と生まれてくるようだ。本来日本人の根っこには性善説があると信じているが、この世界ではそうはいかないみたい。つい最近でも日本でトップクラスのセキュリティを誇るM電機でさえハッカー集団に軽々と侵入されたとか。便利なスマホやタブレットは防ぎようのない危険と隣り合わせなのだ、と思わざるをえないのは悔しい。かくいう私自身もいろんなパスワードをメモしたPDFをタブレットに保存したままだった。ほぼ自殺行為かもしれない。面倒くさくなくて、シンプルで単純な防御対策を、誰か早くデザインしてくれ。

（西畑 敏秀）

SNS 利用における基本事項

気軽な【繋がり】危険！

その人のこと、どれくらい知ってる？

SNSでの繋がり

ネット上でできた友達のことをどれくらい知っていますか？

SNS(Social Networking Service)
インターネットを通じて、場所にとらわれず利用者同士のコミュニケーションを実現したり、新たな人間関係を構築したりできるスマホ・パソコン用のWebサービスの総称です。

私は、現実の友達よりも、インターネットの友人の方が多いです。インターネットの友人は、年齢や性別関係なく、同じ趣味や好きなことをたくさん語れる友人が簡単に作れることがメリットだと思います。もしかすると、趣味や好きなことについて熱く深く語り合っているという点に注目してみれば、現実の友人よりも私の好きなものについて詳しいので、より仲が深まっているように感じたりします。だからこそ、注意が必要です。最初は、人当たりのよさそうな雰囲気で近づいてきて、あなたの個人情報を聞き出そうとしたり、しばらくしたのち、あなたを攻撃したり、悪く言いふらしたり、といったトラブルを起こす人も中にはいるのです。趣味や好きなことが同じでうれしくなって、つい軽率に心を許してしまいがちになりますが、相手の人柄や態度、考え方などを精査して、楽しいSNS利用にしていきたいですね。

SNSの特徴の一つに気軽に人間関係を拡げられるというのがあります。知らない人と繋がっていくことは楽しい反面、直接会ったことのない人と繋がりを持つことには怖い側面もたくさんあります。2013年6月28日に広島県広島市の専修学校の女子生徒が暴行され殺害された事件がありました。
「広島県呉市の山中で高等専修学校の女子生徒(16)とみられる遺体が見つかった事件で、死体遺棄容疑で逮捕された男女7人のうち、直接会ったことのない少女が女子生徒に「遊びに行こう」と誘い出していたことなど、事件直前の詳しい状況が20日、捜査関係者への取材で分かった」(日本経済新聞 2013.7.20)
2017年10月30日に神奈川県座間市のアパートの室内から9人の遺体が見つかる事件がありました。この事件では被害者となった9人の男女がTwitter上で面識の全くない犯人からの呼びかけに応じて会ったことで事件に巻き込まれました。
皆さんが入っているLINEグループの中には、面識のない人もいるかもしれません。Twitter上でのコミュニケーションは面識のない人とのやり取りであることが多いです。そのような面識のない人との交流は、思わぬ事件に巻き込まれることにもなります。

見られてます。
画面の向こうから。

SNSがストーカーの必須アプリって本当？

ネットストーカー

外部に発信するという事は、自分の情報を誰かに伝えていることと同じです

ネットストーカー（サイバーストーカー）
インターネット上の様々な情報を利用して、特定の人物につきまとい、迷惑行為を行う人々のことです。ネット上での嫌がらせから、本人の特定、実際に自宅にまで押しかけてきたりといったように、実世界のストーカー行為に移行する事もあります。

今や私たちの生活には欠かすことが出来なくなっているSNS。TwitterやInstagramなど、気軽に投稿したり、情報を集めたりできるサービスがあり、私たちの身の回りには膨大な情報が溢れ返っています。

SNSは、有益な情報を得ることができるツールであり、さまざまな人々と関わることが出来るコミュニケーションツールでもあります。しかし、その便利さ・楽しさの裏には、恐ろしい危険も隠れているのです。

見知らぬ人とSNSを通じて簡単に知り合える時代になった今、SNSを通じた人との関わりから生じるトラブル・犯罪が後を絶ちません。

TwitterやInstagramに投稿した写真の背景に写りこむビルなどの建物や、アカウントの位置情報設定などから、細かい個人情報が特定され、それが原因となってストーカー等犯罪の被害に遭う危険性もあるのです。

普段何気なく軽い気持ちでする投稿にも、高いリスクが潜んでいるということを、しっかり認識したうえで、SNSを利用することが、現代の社会で生きていくためには大切なのだということを改めて痛感しました。自由に情報や考えを発信出来るような時代になった一方で、自分の個人情報をしっかり自己管理しなければならない時代になってきているということを忘れずに、SNSを活用していきたいと思いました。

2019年9月1日の夜、東京都江戸川区のマンションに帰宅したアイドル活動をしている20代の女性に対して、背後からタオルで口をふさいで押し倒して怪我などをさせたとして、26歳の男性が逮捕起訴されました。

この犯人が被害者の女性の自宅を特定させた経緯が恐ろしいです。SNSに投稿された女性の顔写真の瞳に映る景色を手掛かりに住んでいる場所を特定したそうです。具体的には、女性の瞳に映った駅の風景と特徴が似ている駅をgoogle mapのストリートビュー機能を利用して特定し、女性がSNSで配信した動画を見てカーテンの位置や窓の光の射し方などから女性の部屋の位置まで把握したそうです。スマホのカメラ画質が非常に精細になった事も原因の一つと言えます。たった一枚の画像で、意図しない形でさらには想定もしない情報から、自分の個人情報が特定される危険性があるという事です。

その画像を本当に不特定多数の人に見てもらう必要があるのかどうか、今一度、確認するとよいかもしれません。

それ、
送信する前に見直してみて、
言葉って、
つらい。怖い。

あなたの言葉が、誰かを傷つける！

ネットいじめ

ネット上の誹謗中傷は、心に対する暴力行為です！

ネットいじめとは・・・
スマートフォンやパソコンを通じて、ネット上の掲示版や LINE，SNS などに、特定の子どもの悪口や誹謗・中傷を書き込んだり、悪意に満ちた画像を投稿・拡散させたり、個人情報を晒したりすることで、いじめを行うものです。

「 LINE いじめ」って聞いたことありますか？
メッセージでのやり取りを通じて、相手を仲間外れにしたり、悪口を言って傷つけたりと、いじめ行為につながることを言います。
LINE を使ったいじめは実際にあなたの身の回りにも起こっています。
LINE は便利なコミュニケーションツールです。しかし、使い方を間違えると相手を深く、深く傷つけてしまいます。その場のノリで送信していませんか？自分にその気が無くても、相手が傷付いているかもしれません。書き込みをきっかけに自殺を考えてしまうほどの精神状態に陥るケースは珍しくないのです。言葉は凶器になり得るのです。
LINE は 24 時間、繋がり続けます。家に帰ってもスマホを手放さない限り、絶え間なくいじめは続くのです。
いじめは LINE に限ったことではなく、Twitter、Instagram、Facebook といった SNS でも起こっています。
送信する前に、一度立ち止まってみて、見直してみる習慣を持ちましょう。

私も、毎日 LINE で友達とやり取りをしていますが、文章だけだと重く捉えがちになると思って、スタンプをつけたりして和らげています。相手を思いやる気持ちを忘れずに。(^^)

2016 年 8 月、青森県の中学 2 年生葛西りまさん(当時 13 歳)が自殺で亡くなりました。亡くなった彼女のスマートフォンには、「 は、クラスから早くいなくなれば？」など辛辣な LINE のメッセージが残されていました。SNS でのいじめは、どこにも逃れることが出来ないため精神的に追い詰められていきます。
最近では Twitter や Instagram などを用いたいじめも見られるようになってきています。Twitter は拡散ツールでもあります。同級生のちょっと過激な自撮りの画像をスクショしたものや、アプリで同級生の顔画像を加工したものを Twitter で拡散するというような事例も報告されています。一度、拡散されると予想もしない速さで知れ渡ることになります。また、中高生の間では Instagram の 24 時間で消えるストーリーズという機能が人気であり、ストーリーズを利用したトラブルも多くみられます。24 時間で消えるため証拠が残りにくく、仲間内で他人の悪口コメントや貶す画像・動画等をアップロードし共有するという事例も多くあります。
最近のネットいじめは従来のいじめと様相が異なっています。周囲の教師を含む大人がついていけないいという事実もあります。もし、何かおかしいと思ったら、理解してくれる人に出会うまで色々な人や機関に助けを求めることが重要です。命よりも大切なことなどないのですから。

now !
その投稿で
ロック解除

24 あなたの発信は、あなた自身の情報!

SNSでの個人情報流出

その投稿に、どれだけの情報が隠されているか、一度、確認してみてください!

SNSでの公開範囲とは
SNSでは私たちは自由に発信することが出来ます。その発信の情報の公開範囲は常に意識する必要があります。友人限定なのかリンクを知っている人限定なのか。何の設定もしなければ全世界の人がアクセス可能であるという事は必ず知っておくべきことです。

このポスターでは、SNSで自分の個人情報を安易に発信してしまったために、自宅を特定され、本人の留守をSNSで確認したうえで空き巣に入らてしまう様子を描きました。
自宅を特定する方法は意外にも簡単です。地震が来たときに「地震?!」「地震びっくりした」などと発信することで地域が特定できますし、地名を言わなくとも、普段の何気ない写真の投稿、例えば、近所の公園の写真や、外出先で食べた食べ物の写真などから生活圏を特定することはそんなに難しいことではありません。
SNSは個人でも簡単に情報の発信が行えるツールであり、その発信された情報は全世界の人が閲覧することができます。しかし、何気なくSNSを使っていると、いつも会話する友人以外には自分の情報をみていないのだと錯覚しがちになります。誰でも閲覧できる場所に投稿しているのだという自覚をもってSNSを活用していきたいと思いました。

5月4日深夜2時、3人組の男が美容整形外科「高須クリニック」の高須克弥院長の自宅玄関に侵入し、時価総額3000万以上の金塊7kgが盗まれた。原因は、高須院長のTwitterの投稿でした。
高須院長は普段からこまめにTwitterの投稿を多くしており、5月3日には、Twitterで「ありがとうございます。お礼参りいたします。明後日から台湾の神社に台湾加油しにいきます。」と家を空ける旨の投稿や、事件のあった5月4日は「ポタポタなう」とがん治療のために病院で点滴を受けていることを公開しており、留守であることは明らかであった。また、高須院長は過去にTwitterで「帰宅なう」と自宅の位置情報と玄関の扉の写真が写った投稿を公開していた。つまり、自宅を特定できる状況にあり、留守の期間が明らかで、なおかつ、高須院長がお金持ちとして有名であったため、ターゲットになりやすい状態であった。(NEWSポストセブン 2019.05.19)
自分はそこまで有名でもないし、と他人事にならず、今一度自分の発信する情報に自分個人を特定できる情報がないかを見直したり、投稿する写真に位置情報も一緒についていないか確認したりして、SNSの使い方を見直して欲しいです。

炎上
まとめch
スーパーで騒ぐ高校生が迷惑行為すぎる
先日、女子高生がアップした動画が迷惑すぎると話題となった。
賠償金の請求
賠償金
Twitterにアップされ
まとめサイト掲示板に掲載
テレビで取り上げられる
油
名前 ○○ △△
○○高校
住所 ＿＿県△市□□
Instagramアカウント ・・・・
Twitterアカウント・・・・
個人情報の特定
逮捕
Lort☆sttttk
拡散
火種
迷惑行為
嘘の情報
スーパーでダンスしたｗｗ
地震で動物園から
ライオン脱走してたんだけど。
Tttjm. 00925
このコンビニ○○県△市のらしい。
近所や最悪。
Lort☆sttttk
ライオン逃げたとか嘘ｗｗ
だまされた人乙ｗｗｗｗ
バイト先での不衛生行為
バイト中にコンビニのアイスケース入るとかこいつ頭おかしいｗｗ
禁止行為
犯罪を自慢
詳細の特定
jku333gfbvccc
これ○○高校の学生らしいよ。スーパーで踊るってバカ迷惑すぎ・・・。
○○スーパーで万引きしたったｗｗｗ
楽勝ｗｗｗ

「そんなつもりなかった」は通用しない!

ネット炎上メカニズム

「誰も見る人なんていない」
「これくらいの内容なら大丈夫」

そういう気持ちが炎上を起こします

ネット炎上とは・・・
不適切，マナー違反（法律違反）と判断されたSNSや掲示板等での投稿や発信に対して、非難や批判（時には度を越えた誹謗中傷）などが殺到し収拾がつかなくなる事態を指します。時に、本人特定につながることもあります。

ネット炎上は、年齢、性別、職業問わず、SNSを利用している人であれば誰でも起こりうることです。「私は炎上なんてしないよ。」って思っていても、何気ない投稿が火種になってしまうことは多くあります。面白いと思って投稿しただけなのに・・・。ちょっとした嘘だったのに・・・。ただ思ったことを投稿しただけなのに・・・。内容は色々あると思いますが、あなたの投稿ひとつひとつが炎上のきっかけになりうるのです。なので、自分には関係ないことだと思わないでほしいです。

でもそんなこと言ったら「SNSに何も投稿できない!」となってしまいます。何も投稿しないのが炎上しない一番の対策ですが、現代を生きる私たちにそれはちょっと厳しいですよね。少なくとも私はそうです（笑）。なので、今後SNSを利用するときは、「色んな人に見られていること」「簡単に拡散されてしまうこと」「とくに個人情報は発信しないこと」これらを理解して、意識して利用していただけたら対策になると思います。こう言っている私も、しっかり意識して利用していきたいです。

Twitter や Facebook，ブログ等のSNSを閲覧・利用している方であれば、炎上という事態をみたことがあるかと思います。不適切な投稿等で一度炎上してしまうと、収拾がつかなくなり、当該アカウントでの利用を続けていくことが難しくなります。有名人であればイメージ低下は免れません。個人の場合は、一気に注目を集めることになり、過去の投稿や発言が掘り返され、本人が特定されたり、本人の周囲の人や団体にまで迷惑がかかることに繋がります。

炎上という事態は9割以上の人が認識しているものの、実際に書き込んだことのある人は1%程度という研究結果があります（山口 2018）。その1%程度の人が複数回書き込んでいることが明らかになっています。ネット上で炎上している事態を「ネット世論」と呼ぶ風潮もありますが、ごく少数の人々の書き込みで「炎上状態」がつくられていることも知っておくべきです。

ネット炎上との関わり方 (n=19,992)	
聞いたことはあるが実際に見たことはない	74.5%
見たことがある	15.6%
過去1年以内に書き込んだことがある	0.5%
1年以上前に書き込んだことがある	0.6%
聞いたことがない	7.9%

過去1年以内の経験者の書き込み件数 (n=277)	
1件	32%
2～3件	34%
4～6件	14%
7～10件	9%
11件以上	10%

山口真一（2018）『炎上とクチコミの経済学』より作成

なんか、違う。

知らないうちに、何かが起こっている！

LINEの乗っ取り

Line の乗っ取り、なりすまし。
他人事ではありません、
すぐそこで起こっています。

Line の乗っ取りとは
LINE を利用するためには、電話番号または Facebook と連携したアカウントが必要です。このアカウントにログインするための情報を第三者が不正に取得し、本来の持ち主に成りすまして LINE を利用することを言います。

LINE の持ち主になりすまし、自分の友達に金銭を要求してくる LINE の乗っ取り。突然、自分のタイムラインに「プリペイドカードを購入して、番号を教えてくれないか」といった内容の LINE が届くそうです。「後でお金、必ず返すから」などと添えられていたら、友人と思ってカードを購入してカード番号を送ってしまうかもしれません。プリペイドカードはカード番号があれば現金として利用できてしまいます。こうやって LINE を乗っ取られてしまうと、自分の友達にも被害が生じてしまいます。このような事件が起きると、人間関係が壊れてしまうおそれもあるのです。

○あなたが乗っ取られた被害者の友達だとした場合で考えてみましょう。

LINE の乗っ取りを気付くために、乗っ取られた LINE の特徴を理解しておくとよいでしょう。

・日本語や会話の流れが不自然（本来の人間関係とは異なる話し方，呼び方や絵文字顔文字の使い方等）

・急な金銭の要求（カード番号だけで利用できるプリペイドカードの要求が多い）

なんだかいつもと違う、不自然と感じたら、乗っ取られている可能性を考えてみましょう。その上で警察に相談してみましょう。

○あなたが乗っ取られる被害者になる可能性もあります、その場合で考えてみましょう。

被害にあわないようにするためには、日ごろからパスワードの強化・変更を行いましょう。

LINE はとても便利なコミュニケーションツールではありますが、画面上のやりとりだけでなく、実際の人間関係を築いておくことが本当の意味で重要になるのかもしれません。

LINE は私たちが日常で生活していく上で多く利用するサービスといっても過言ではありません。メッセージの送信だけでなく、音声通話からキャッシュレス決済まで出来ないことはないと言っても過言ではありません。だからこそ LINE アカウントを乗っ取ろうとする攻撃も後を絶えません。そのための対策をしっかりとしていく必要があります。また身近な LINE への対策を心掛けることが、他のネット上のサービスを利用する際のセキュリティー対策の基本にもなると思います。

1. パスワードを一定間隔で変更する（Case5）
2. パスワードの使い回しをしない (Case6)
3. ほかのデバイスでのログインを不許可にする
4. LINE アプリにロックをかける
5. 2 段階認証によるセキュリティを確保する (Case8)

それ、

犯罪かも

これもダメなの？ ただ押しただけなのに！

情報共有の落とし穴

情報を共有するという事は、あなたの積極的主張です

リツイート（RT/ReTweet）とは
Twitterの機能の一つで、他のユーザーがしたTweet（または自分がした過去のTweet）を自分のフォロワーのタイムラインに届ける仕組みの事です。

私たちに身近なtwitter。匿名でもオッケー、簡単に自分の思いや考えを発信することができる、たくさんの人のつぶやき（ツイート）をリアルタイムで閲覧することができる…。こういった利便性から、あなたの周りでも多くの人が利用していたり、もしかするとあなた自身も利用しているかもしれませんね。

しかし、使い方を間違えると 犯罪に巻き込まれてしまう恐れがあることを知っていましたか？実は2019年、twitterの「リツイート（RT）」機能をめぐって、ある裁判が行われました（下のコラム参照）。そして その判決では、第三者を誹謗・中傷するようなツイートをRTした場合、RTした本人が名誉毀損の罪に問われることが明らかになったのです。この判決はRTした本人のアカウントのフォロワー数や、その社会への影響力が考慮されての結果のようですが、ワンタッチで簡単にできるRTが民事上の問題になりうるのか…と、きっとtwitterを利用している人々には大きな衝撃を与えたことでしょう。

他者のツイートに対して、「面白いな」「また見たいな」と思って、RTしたことはありませんか？いつも気軽にしているRTがこのような罪にあたるなんて、思いもよらないですよね…。

皆さんはネット上のコミュニケーションツールを利用する際に、TwitterでのRTや、Facebookでの共有などを活用していると思います。それに関して、2019年9月12日に大阪地裁で一つの判決が下されました。

ツイッターで第三者が投稿した自身を中傷するツイートを転載（リツイート）したことは名誉毀損（きそん）にあたるとして、元大阪府知事の橋下徹氏がジャーナリストの男性に対し慰謝料など110万円を求めた訴訟の判決が12日、大阪地裁であった。末永雅之裁判長は「元の投稿をそのまま引用するリツイートは、その内容に賛同する表現行為で責任を負う」と認定し、男性に33万円の支払いを命じた」（産経WEST 2012.9.12）

たった1回だけ他人を誹謗中傷しているTweetをRTしただけでも、そのTweet内容に賛同していること、さらには積極的に拡散していることと裁判所に認定されたという事です。この事件ではRTした男性がジャーナリストであり、フォロワーが約18万人いたため、拡散力や信用力も加味された判決ではありますが、何気ないRTで誰かを積極的に傷つける可能性があることは心にとめておいて欲しいものです。

子供を守る立場の大人が、しっかりしなくてどうするの？

児　童　ポ　ル　ノ

児童ポルノをスマホに入れているだけでも犯罪です（単純所持）

児童ポルノとは
児童が性交している様子，児童の性器・児童が他人の性器を触っている様子，児童の裸や半裸の様子が映っている写真や画像・動画です。それらを持っていること自体禁止されています。日本では児童の定義は18歳未満の子どもを指します。

児童ポルノと聞いて皆さんは何を思いますか？私はあまり聞きなじみのない言葉で、よく分かりませんでした。今回、児童ポルノを担当することになり、私なりにこの言葉を調べてみました。
「児童」という言葉は、学校教育法では小学生を指す言葉なのですが、児童ポルノ法（正式には「童買春、児童ポルノに係る行為等の規制及び処罰並びに児童の保護等に関する法律」という長い名前のようです）の中では、18歳未満が対象となる児童のようです。「ポルノ」という言葉はポルノグラフィの略称で意味は、猥褻（わいせつ）な文学・絵・写真（画像）などでした。つまり児童ポルノというのは、18歳未満の子どもが対象であるわいせつな文学・絵・写真（画像）ということになります。このような画像を持っているだけでも犯罪になるという事を初めて知りました。中学生や高校生の画像でも駄目という事をしっかりと知っていく必要があると思います。

SNS上で気軽に知らない他者と繋がれるようにな社会になっています。LINEやTwitter, Instagramなどで知り合った児童に対して、メッセージをやり取りしていく中で裸の写真を送るように要求する事例が多く報告されています。このようにして撮らせた児童の画像を所持しているだけでも犯罪です。このような事例は本当に多くあります。
2020年1月20日には、埼玉県警深谷署が24歳消防士を逮捕しています。逮捕容疑は「昨年5月、会員制交流サイト（SNS）を通じて知り合った県内の女子中学生が撮影した自分の裸の写真を、スマートフォンに送信させ保存した」（産経新聞）と報じられています。2019年2月22日には、奈良県警高田署と神奈川県警小田原署が小田原市に住む31歳の小学校教諭を逮捕しています。逮捕容疑は「奈良県に住む小学6年の女子児童（12）が18歳未満と知りながら、昨年12月16日ごろ、裸の画像を送らせたという児童買春・ポルノ禁止法違反の疑い」（週刊女性）と報じられています。大人がしっかりとした自覚を持つべきですね。
どこまでが児童ポルノなのかという問題もあります。2020年1月29日に最高裁判所で一つの判断が下されました。それは実在の児童の写真をもとにCG（コンピューターグラフィックス）で作った少女の裸の画像が児童ポルノに当たるのかどうかというものです。最高裁判所は「実在の児童を描写し、児童ポルノだ」と指摘しました。今後はCGで作られた画像であっても、実在の児童を模したものであるならば児童ポルノという事になります。

あなただけに、と
信じてたのに。

その送信、今一度確認を！

リベンジポルノの恐怖

「これくらいいいだろう」が、
一生の後悔に繋がります。
「嫌だ」「駄目だ」はしっかり言おう！断ろう！

リベンジポルノとは
性的な画像・動画を被写体本人の承諾なく公開する悪質な犯罪のことです。特に、恋人や配偶者等との関係が破たんした際、交際中に撮影したわいせつな写真・動画などをインターネット上に流出・拡散させる事案が多く起きています。

リベンジポルノ、これは決して遠い別世界の話ではないと強く思いました。つきあっているときは、相手が好きなので、何でもお願い事をかなえたくなってしまいます。その延長で、そういったお願いも、「嫌だなあ」とは思いつつも、ついかなえてしまいそうになると思ったからです。そういう女性は多いと思います。

しかし、これは女性だけの問題ではありません。男性もそういったことを強要しないこと、そして女性だって加害者になりうるのです。別れたからと言って感情的にならず、また交際中であっても、いやなことは嫌だといえる関係性を築いていくべきだと思います。

リベンジポルノの被害者は何故、性的な写真を撮らせてしまったのでしょうか。被害者側の主な理由は「好きな人に頼まれたから」「記念写真のつもりだったから」といったものが多いようです。つまり、写真を撮られた際には、加害者との関係性は良好で、写真撮影自体は合法の場合が殆どなのです。関係悪化後に起こる犯罪という点が、非常に難しい犯罪といえます。また警察庁によると被害者の特徴として「大半が女性であり、40%以上が20代、被害者と加害者は顔見知りのケースが殆ど」のようです。特にスマートフォンの写真機能の進化により、気軽にどんな時にでも高解像度の写真をとることが可能であるため、被害が増える傾向にあります。

SNSの進展により、一度ネット上に流出されると拡散が繰り返され、完全に削除することは不可能になってしまいます（デジタルタトゥー：digital tattoo)。だから被害を未然に防ぐためには、その時の相手との関係がいかに良好であっても、気分がとても高揚していたとしても、性的な画像や映像の撮影はしっかりと断ることが重要でしょう。いつの日か関係が壊れる可能性はあるのですから。また、リベンジポルノ被害に逢いそうな場合・逢ってしまった場合は、すぐに弁護士や警察に相談してください。

リベンジポルノ 被害者と加害者の関係	
交際相手（元交際相手を含む）	61.6%
配偶者（元配偶者を含む）	3.3%
知人友人（ネット上のみの関係）	11.1%
知人友人（ネット上のみの関係以外）	13.1%
職場関係者	1.8%
不明	4.7%
その他	4.4%

「令和元年版　警察白書」より作成

SNS 時代を生きるということ

情報化社会の発展に伴い、今やほとんどの人が携帯電話端末を所有しており、いつでもどこでも気軽に電話することが可能になりました。個人が電話を持ち歩く便利さは、分かります。私が学生の頃は、まだ携帯電話なんかありませんでした。すると何が大変かというと、待ち合わせです。渋谷駅でも東口なのか西口なのかは重要な問題でした。そこをしっかりとしておかないと、もう会えなくなってしまいます。それが今では、「駅に着いたら連絡する」の一言で大丈夫です。本当に便利な世の中だと思います。電話を持ち運べるという便利さは分かります。しかし同時に SNS も爆発的に普及しています。2012 年の頃には 2 割前後だった利用者が、6 年間で LINE のようなコミュニケーションツールは 8 割以上、Twitter や Facebook などの発信ツールでも 4 割近くになっています。若者に限定すれば値はもっと伸びます。さらに 2019 年の SNS への若者の投稿をみてみると Twitter や Instagram 等に書き込む人も 10 代，20 代で 4 割前後になっています。ほぼ 3 人に一人は Twitter や Instagram で情報発信をしていることになります。この値は今後どんどん増えていくでしょう。さらに興味深いのは YouTube や TicTok での発信です。動画配信になると一番多いのが 10 代になっています。1 割ではありますが、10 代の子にとってはメッセージを投稿する感覚で動画を投稿・配信しているのでしょう。この結果からも、大人が子供たちについていけない現状が浮かび上がります。

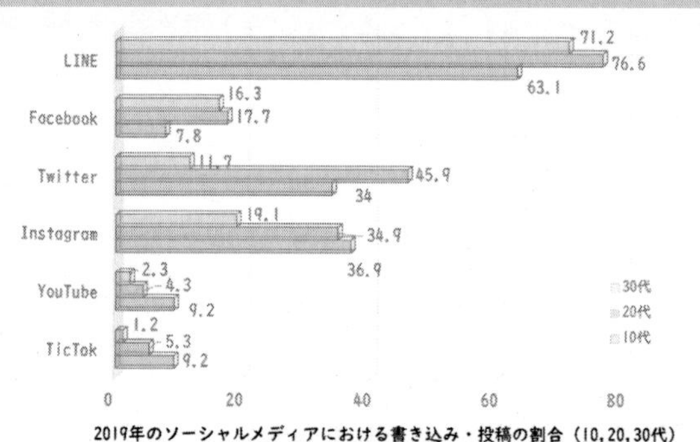

2019年のソーシャルメディアにおける書き込み・投稿の割合（10,20,30代）

「平成30年度情報通信メディアの利用時間と情報行動に関する調査」より作成

主要SNSの6年の利用変化

	2012年	2019年
LINE	20.3	82.3
Twitter	15.7	37.3
Facebook	16.6	32.8

「平成30年度情報通信メディアの利用時間と情報行動に関する調査」より作成

携帯電話の普及は分かります。日常生活が便利になります。では何故、今の若者はLINEやTwitter, Instgramといった SNS を利用しているのでしょうか。色々な観点から分析できると思います。何よりもコミュニケーションが手軽というのが挙げられるのでしょう。スマートフォンを片手にアプリを開いて、何か文字なり(画像なり)を打ち込んで送信ボタンを押す、たったそれだけの操作なのです。それで特定の友達(LINE)から全世界の人(Twitter 等)へ発信できてしまうのです。よく考えると魔法のツールです。文字や画像だけではありません。Tik Tok や YouTube などでは動画まで手元のスマートフォンで配信出来てしまうのです。言ってみれば、スマートフォン一つで疑似的なテレビ会社が作れてしまうようなものです。そしてそれを更に魅惑的にしてくれる機能がついていたりします。「いいね」機能だったり「good」ボタンだったり。皆さん、小学生高学年以上で親や先生、他人に褒められたことってありますか?多分、小さい頃にはたくさん褒められていたのに、成長するにつれて褒められる機会はどんどん減っていくものです。でも、ネット上の世界は違います。ちょっとした投稿にも「いいね」や「good」が押されるのです。自分の投稿内容を"誰か"が誉めてくれているのです。これは嬉しいものでしょう。更には「フォロー」という機能もあります。会った事もない人が自分をフォローしてくれる、これは、言わば自分に興味を持ってくれているという事と同じです。

ちょっとだけ心理学のお話をします。心理学では人間の行動を起こす裏側には動機(欲求)があるといわれています。人間の根底には誰かと繋がっていたいという欲求があるのです。辛い時や不安になったとき、誰かとコミュニケーションをとりたいと思ったことはありませんか。そういう欲求を親和欲求と言います。更に人には"褒められたい・認めてもらいたい"という気持ち(欲求)があります。これを承認欲求と呼びます。人は褒められて嫌な気持ちになる人はいません。褒められれば心が元気になります。そうすることでより良い人格の形成にもつながっていきます。Twitter や Instagram といった SNS は、実はこの親和欲求や承認欲求をいとも簡単に叶えてくれるツールでもあるのです。だからこそ、若者がこれらのツールにはまっていくのだと思います。より多くの人と繋がりたい…, より多く褒めてもらいたい…, より自分を認めてもらいたい…そういう気持ちが SNS にはまる若者を産み出しているのではないでしょうか。だから「いいね」欲しさの投稿にはしり、時に炎上するような事態を巻き起こしてしまうのでしょう。

このような状況は別の見方をすれば、従来、曖昧であったものの"可視化"でもあります。いままで友達が多いとか少ないなんて言う事は明確にできるようなものではありませんでした。それこそ"なんとなく"の世界です。でも、それも明確に分かってしまう時代なんです。自分のフォローワーと友達のフォローワーの数を比較できてしまいます。自分のした投稿の「いいね」の数と同級生の「いいね」の数を比較できてしまうのです。クラスで作られているLineグループに自分が入っているかどうかで、自分が受け入れられているかどうかが分かってしまいます。また悪口や無視といったものも日常生活であれば、その瞬間で済むことが、ネット上では文字として"残る"のです。昔なら時間が経てば忘れられるようなちょっとしたミスでも、今は簡単に画像や映像にできてしまいます。まさに何でも可視化の時代と言えます。

　これまでは積極的な利用の話をしてきました。では少し別の観点のお話をします。最近は聞かなくなりましたが、少し前までSNS疲れなどという表現をよく聞きました。SNSでのコミュニケーションにつかれてしまう一方で、SNSをしなければというある種の強迫観念に駆られてしまうというものです。これは行き過ぎるとネット依存症というある種の病気といっても良いかもしれません。ではこのSNS疲れの裏側には何があるのでしょうか。

　皆さんは、FOMOという言葉を聞いたことがあるでしょうか？日本では、まだあまりなじみがありませんが、SNS疲れの中の不安症状を表した言葉として、2011年にニューヨークタイムズの紙面に登場しました。FOMOとはFear of Missing Outの略称で訳すとすれば「見逃してしまう事への恐怖」でしょうか。ネット上の世界は、まさに情報過多の世界です。後から後から情報が入ってきます。LINEのコミュニケーションだってそうです。自分の送ったメッセージが読まれたかどうかが分かるのです。とにかく自分のスマートフォンの中を流れていく情報を追っていくことで必死になってしまうのです。もし、自分が見ていない間に新しい情報が入っていたら話についていけない、すぐに返信しなかったらなんて思われるか、そういう思いが繰り返されれば、それはいつしか恐怖へと変わっていきます。さらにそのような状況に拍車をかけるのが、InstagramやFacebookのストーリーズです。これなどは24時間でメッセージ自体が消えてしまいます。見逃したらという恐怖がさらに倍増されそうです。そういう時代だからこそ、時間があるときには、常にスマートフォン片手に、流れていく情報を追うという作業を、もはや無意識のうちにするようになってしまったのでしょう。

　このような観点からこのSNS時代を見てみますと、良い面もたくさんあるかもしれませんが、なかなかこういう時代を生きていくのは辛いなと、私などは思ってしまいます。出来るだけ楽しく、時にはSNSを忘れて現実世界だけで生きてみるのも良いかなと思います。

（岸 俊行）

ネット社会をよりよく
渡り歩くための基礎知識

RT推
【拡散希
#プレゼン
企
150
9708
5.2万

30 “本当”と“嘘”、見分けるのは難しい！

デマにおどらされない

その情報は事実に基づいていますか？
一度、立ち止まって考えてみてください

虚偽報道（フェークニュース：Fake News）とは
事実に基づかない、または事実と異なる情報を発信（報道）することです。Fake News は昔からある言葉ですが、アメリカ合衆国のドナルド・トランプ氏が Twitter 等で使ったことから広まりました。個人が発信できる SNS 上には Fake News が多くみられます

現代社会は、様々な情報に溢れています。「フェイクニュース」という言葉があるように、私達を取り囲む情報は真実だけとは限りません。また、その情報は「真実」なのか「デマ」なのか見分けることは非常に難しくなってきています。

2016 年、アメリカで、1 人の男がピザ店を襲撃し逮捕されました。この事件は、男がネット上のフェイクニュースを真実と思い込み、事件を起こしたとされています。この男が信じた情報とは、当時、アメリカ大統領候補であった民主党のヒラリー・クリントン候補陣営の関係者が人身売買や児童性的虐待に関与しているというものです（ピザゲート事件）。

少し考えれば「デマ」だと思いませんか？けれど、この情報が多くの人に共有され、膨大な情報があっても、あなたは「デマ」だと言い切れますか？

また、「ポスト真実」という言葉で表されるように「客観的な真実」よりその時の「感情的な訴え」が重視されている世の中でもあります。情報が溢れる現代だからこそ、「デマ」に踊らされないために、「情報リテラシー」を振り返りたいです。

誰もが発信者になれるネットの世界には、有益な情報も多くありますが、それと同じくらい（もしかしたらそれ以上の）嘘情報も溢れています。私たちの日常生活における情報もネットで手に入れる時代です。Fake News を見分ける判断は非常に重要になってきます。

皆さんは「MOMO チャレンジ」という言葉を聞いたことがありますか？子どもたちに自殺するよう仕向けるゲームといわれて SNS 上で拡散されましたが、デマであることが判明しています。

事の発端は、2018 年にアルゼンチンで 12 歳の少女が "WhatsApp terror game" で自殺の瞬間を撮影するよう促されて自殺したという報道がひろまったのがきっかけでした。その後、2019 年 2 月末にある Twitter ユーザーが、「気を付けて！『Momo』という存在が子どもに自殺するように指示しています」という内容を Facebook のスクリーンショットと共にツイートしたところ、全世界に広がりました。イギリスでは警察や学校がこの問題について警告を発したり、アメリカでは心配した親による書き込みがインターネット上で急増し、警察まで出動する事態に発展したりしました。誰かのちょっとした悪意ある嘘が世界中を駆け巡り、多くの子どもを不安にさせ大人や組織を動かす事態にまでなりました。

私たちが何かを決断する際に、ネット上の情報に基づくことがこれからどんどん増えてくることと思います。その情報がどの程度正しいのか、一つの情報源だけで判断するのではなく、様々な情報を参照するなど、皆さん自身で情報を検証するように心がけていく必要があるかと思います。

ネットを長時間利用すると？

・体の調子が悪くなる

頭　痛 　　視力低下 　　めまい

・心の調子が悪くなる

うつ病 　　無感情 　　攻撃的

・学業や仕事に悪影響

寝不足 　　居眠り

・コミュニケーションに悪影響

コミュニケーションが下手になる

集中しているだけ？ ネットに依存してないですか？

ネ ッ ト の 長 時 間 利 用

皆さんは、1日にどのくらい インターネットを利用していますか？

インターネット依存とは…
ネットが使用できないと何らかの情緒的苛立ちを感じること、また実生活における人間関係を煩わしく感じたり、通常の対人関係や日常生活の心身状態に弊害が生じているにも関わらず、インターネットから離れられない状態をいいます。

私はゲームが大好きなので、1日6時間ぐらいネットゲーム遊んでいます。一日中インターネットを使っていられる気すらします。しかし、一日中インターネットの虜になっていると、恐ろしいことになります。

例えば私が描いた左のイラストは、インターネットを長時間していると生じる身体への影響です。このイラストを描くために調べてみたのですが、ネットを長時間利用しているだけで、身体だけではなく、感情や精神的なもの、更には対人関係にも影響が出てくるそうです。そのような状態を インターネット依存（ 嗜癖：しへき）」と呼ぶそうで、現在では、ちゃんとした病気みたいです。

このようにならないための対策を調べました。

・30 分～ 1 時間に一回休憩をする。その時ストレッチもするとより良い。
・覗き込む・うつむくような姿勢は NG
・目線が下がらないように気を付ける
・画面と周囲の明るさとの差を少なくする
・暗い場所での使用はやめておく

すでに左のイラストの中にある症状を自覚している人もしていない人も、
これらのことを意識してインターネットと健全なお付き合いをしていくといいですね。

青少年のインターネット利用時間は年々長くなる傾向にあります。
右の表は、10 歳から 17 歳までの青少年が 1 日に利用するインターネットの時間です。10 歳の子で 2 時間弱使っている子が約 3 割で、年齢が上がるにつれ長時間利用の傾向にあります。16 歳，17 歳になると、5 時間以上利用の子が 20%弱，30%弱になります。ちょっと多いですね。

青少年のネット利用時間（機器を問わず）

	10歳	11歳	12歳	13歳	14歳	15歳	16歳	17歳
1時間未満	23.8	23.7	17.4	13.8	8.5	7.3	3.6	3.0
1時間以上2時間未満	33.6	31.4	31.7	23.5	25.1	16.1	12.8	11.1
2時間以上3時間未満	17	18	20	23.8	23.7	25.2	21.9	19.3
3時間以上4時間未満	8.7	9.7	8.9	12.9	16.8	18.4	26.5	19.6
4時間以上5時間未満	4.2	5.4	7.7	7.6	10.2	10.9	15	17.3
5時間以上	2.6	6.0	10.6	13.5	13.2	18.7	18.3	27
わからない	10.2	5.7	3.7	4.7	2.4	3.4	1.9	2.7

総務省「平成30年度青少年のインターネット利用環境実態調査報告書」より

今家着いた！
そうなんだ♡
1日のスケジュール
起床
授業
部活
バイト
今日テストなの、、
がんばってね♡

文字だけのコミュニケーションは勘違いのもと!

コミュニケーション障害

対面でコミュニケーションしてみてください
相手の表情，息遣いを感じてみてください

コミュ障とは…
コミュニケーション障害の略称として、SNS 上やネット上の掲示板で良く使われる言葉ですが、医学的な障害とは異なり、単純にコミュニケーションが苦手な人を指す場合やネット上でのやり取りが出来ない人をさして使われるネットスラングです。

私たちが普段使っているアプリの中には、まったく知らない人とやり取りができる機能がついているものもあります。1度も会ったことがなくても、アプリを通して毎日のようにやり取りを続けていると、次第に自分の身近な人のように思えてくる人もいるのでしょう。ネット上でやり取りをしている人の中には、やり取り相手を信用して、日常の出来事や悩みなど、何でも打ち明けてしまうという人も多くいるようです。しかし、相手の人は1度も会ったことがない他人であるということを忘れないでほしいのです。相手の性別や年齢、身分は全部「自称」であり、もしかしたら、相手から教えてもらった情報は、全部あなたと仲良くなるための嘘なのかもしれません。実際に会うよりも、画面上でのやり取りの方が気楽にできると思う人も多くいると思います。しかし、実際に会う人とやり取りをする時以上に注意しながら、関わっていかなければならないのです。

インターネットを長時間利用すると身体に大きな影響が出るだけでなく、対人関係にまで影響を及ぼすようになってしまいます。そこまで行くと"ネット依存症"という病気だと判断されます。ネット依存症に対応していただける専門の医療機関もあります。日本で初めてネット依存症外来を開いた久里浜医療センターでは、年間約 2000 人の人が受信しているといます。SNS への依存も多いですが、ネット依存症の多くはオンラインゲームへの依存です。常に内容が更新されるため、際限なく続けてしまうという状態に陥ってしまうのです。そうなると日常生活（学校や仕事）にも影響が出てしまいます。

ネットを利用する際の家庭内のルール

	小学生	中学生	高校生
利用する時間	75.6	66.6	41.1
利用する場所	41.3	32.3	21.9
メールやメッセージを送る相手	17.2	11.8	10.8
利用するサイトやアプリの内容	20.2	24.4	23.1
送信・投稿する内容	8.3	14.8	19.5
利用者情報が漏れないようにしている	15.5	23.7	23.7
ゲームやアプリの利用料金の上限や課金の利用方法	28.2	38.2	43.8
困ったときにはすぐに保護者に相談する	28.5	29.6	27.9
その他	2.6	1.9	2.1

総務省「平成30年度青少年のインターネット利用環境実態調査報告書」より

左の図は、青少年のネット利用時における家庭内のルールの有無を聞いたものです。高校生になると利用形態は自由ですが、課金に関してルールを決めていることが分かります。

ネット依存に陥らないためにも、家庭内での使用のルールをきっちりと決めていくことが、重要だと思います。

PORNO
DRUG
AUCTION
ILLEGAL SITES
CULT
GAMBLE
CRIME
FILTERING

子供を守れるのは、大人だけ

フィルタリング

子どもからネットの世界を取り上げるのではなく、ネットの世界から有害な情報を取り除こう！

フィルタリングとは…
フィルタリングとは、有害なホームページを子どもに見せないようにするための仕組みです。フィルタリングを設定することで、ポルノ画像、出会い系、暴力残虐画像、他人の悪口や誹謗中傷、犯罪を助長するような内容などから子どもを守ることが出来ます。

インターネット上には、とても子どもには見せたくない情報がたくさんあります。また様々な動画コンテンツがアップロードされているサイトやオンラインゲームコンテンツなど、子どもがインターネット依存に陥ってしまいそうな魅惑的なコンテンツにあふれています。フィルタリングサービスは、インターネット上の有害な情報や悪意のあるコンテンツから、設定によっては動画やゲームの長時間利用から子どもたちを守るための最後の砦なのだと思います。

子ども達にスマートフォンやタブレットをねだられて購入する際に、また実際に使用しているときに、フィルタリングをつけることを嫌がる人もいると聞きます。

「ある程度知識や常識が身についていれば騙されることはない」

「正しく使えばフィルタリングがなくても安全に利用できる」

大体、フィルタリングを嫌がる子どもの理由は上記のような感じらしいです。正しく使っていれば安全、知識や常識があれば大丈夫と思いたくなる理由は分からなくもありません。しかし、ネットの世界はそんなに甘いものではないと思います。以前はそうだったのかもしれませんが、詐欺や有害サイトなども年々進化してきており、サイバー犯罪の組織化が進んでいるそうです。また動画コンテンツやオンラインゲーム，ソーシャルゲームなどの新しく楽しいコンテンツもどんどん、リリースされています。

「正しく使っていないために騙される時代」から「正しく使っていても騙される時代」に変わりつつあるのでしょう。本当に理不尽極まりないと思います。フィルタリングサービスはトラブルに巻き込まれるリスクを減らし、理不尽な思いを子どもにも家族にもさせないための、不可欠なツールであるといえます。

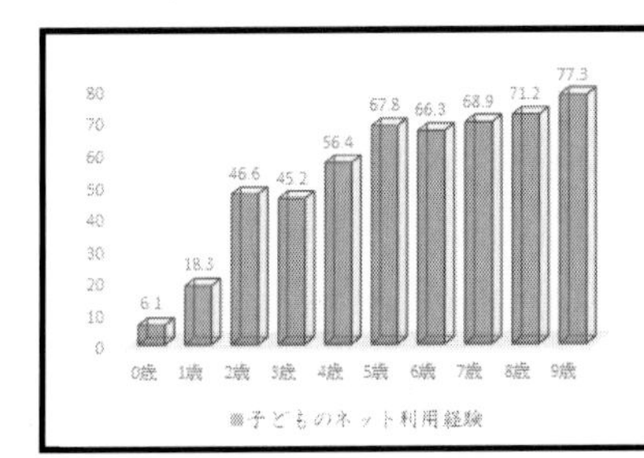

子どものインターネット利用時における保護者の取り組み（%）	
大人の目の届く範囲で使わせている	93.2
利用する際に時間や場所を指定している	57.8
成長段階に合わせて、子供向けの機器やサービスを使わせている	17.6
普段の会話やコミュニケーションの中で、子供のインターネット利用状況を把握している	29.3
フィルタリングを使っている	9.4
その他の方法で管理を行っている	2.0
管理している	98.3
子供のインターネット利用の管理は行っていない	0.7
わからない	0.4
無回答	0.7

総務省「平成30年度青少年のインターネット利用環境実態調査報告書」より

まかせて！
大切データ
大切データ
大切データ
どうしよう…
大切データ

守るべきものは、“守る”専門家にまかせよう!

クラウドサービス

大事な情報（データ）をどのように保管していますか？

クラウドサービスとは…
クラウドとはコンピューターの利用形態の一つで、インターネットなどのネットワークに接続されたコンピューターが提供するサービスを私たちは家に居ながらにして利用できます。このようなクラウドの形態で提供されるサービスをクラウドサービスと呼びます。

皆さんは、クラウドサービスと聞いてどんなことを思いますか?私は真っ先に「ややこしそうなサービスだなぁ。」と感じました。情報系に疎い私は、あまり利用する気が起きないまま、そのサービスについて調べていきました。

クラウドサービスとは、インターネットなどのネットワークに接続されたコンピューターが提供するサービスのことで、私たちは、手元のパソコンやスマートフォンで利用できます。ネットにさえ繋がっていれば、どこからでも利用できる便利なサービスなのです。そもそも、そのサービスがどこで提供されているか分からないのに「使うことが出来る」って、よく考えるとすごいことだと思います。

「そんなクラウドサービス、私は使ったことないよ」っていう方もいるかもしれません。でもGmailやYahoo!メール，iCloudを利用している人は多いのではないでしょうか。私が利用していたのはGmailです。確かに、どこにいてもどの端末からも使えます。これがクラウドサービスの利点です。さらに自分のデータを保管してくれたり、様々なアプリケーションまでクラウド上で利用するというようなことも進められています。私みたいなうっかりさんは、大事なデータの入ったUSBを無くしたり、ファイルを壊したりすることがあったりします。クラウド上に預ければ、そういったリスクも減っていき、ファイルを持ち歩か なくてもいつでもどこからでも使える便利な世の中です。

後はクラウドを提供している会社がしっかりとした対策をしてくれることだけですね。

2020年1月期の不正アクセスが原因の情報漏洩事案

日付	法人・団体名	件数・人数	内容等
2020/1/20	三菱電機株式会社	個人情報：8,122件 その他機密情報	従業員や採用応募者の個人情報の他、技術資料・営業資料などの機密情報が外部に流出した可能性。不正アクセスの原因は、利用するウイルス対策システムの脆弱性を突いたサイバー攻撃と考えられている。
2020/1/15	株式会社ペットハグ	クレジットカード情報 4,098件	運営する「ペットハグサイト」に対し不正アクセスが発生、サイトが改ざんされ、偽の決済フォームが設置されたことにより顧客のクレジットカード情報が流出した可能性。
2020/1/15	株式会社ダートフリーク	クレジットカード情報 最大3,101件	運営する「ダートバイクプラスオンラインショップ」に対して不正アクセスが発生、顧客のクレジットカード情報が流出の可能性。攻撃者はシステムに内在する脆弱性を悪用したとみられている。
2020/1/14	株式会社荏原製作所	個人情報1,720件	顧客情報を記録したPC端末が不正アクセスを受け、顧客情報が流出した可能性。2020年1月7日に発生したフィッシング詐欺により、従業員が使用するPC端末が遠隔操作されたとみられている。
2020/1/7	株式会社現代ギター社	顧客情報：1万9,328件 クレジットカード情報：133件	運営する「GGインターネットショップ」に対し不正アクセスが発生、顧客の個人情報及びクレジットカード情報が流出の可能性。攻撃者はシステム内部の脆弱性を悪用し、決済画面を改ざん。情報を抜き取ったと見られている。

【サイバーセキュリティ.com】:https://cybersecurity-jp.com を基に作成

死にたい
もう耐えられない
痛い
辛い
なんで私だけ
信じていじめないで
苦しい
無理
苦痛
逃げたい
悲しい
嫌だ
消えたいよ
助けて
行きたくない
誰か

勇気を出して声をあげて！何かが変わる！

SNSは弱者のツール

見えないけれど、あなたを助けてくれる仲間はネットの世界にたくさんいます。

「危険がいっぱい！情報化社会を歩く」
本書のタイトルです。確かに「情報化社会」は何もせずに「安全！」という訳ではありません。それは現実世界も同じです。現実世界と同じように、知識を身に着け、用心をして情報化社会を歩けば、きっと便利で素敵な世界が拡がるはずです。

LINE、Twitter、Instagram、Facebook…私たちの身のまわりには、多くのSNSが存在しています。スマートフォンやネット社会の普及とともにSNSも飛躍的に普及し、情報入手のツールとして、はたまたコミュニケーションのツールとして、今では私たちの生活に無くてはならないものになりました。しかし、これらSNSの役割はそれだけではありません。SNSの台頭によって、私たち利用者はこれまでよりも いとも簡単に自分の思いや考えを表明したり、発信したりすることができるようになったのです。

これは実はとてもすごいことだと思います。今までは自分の考えや思いを誰かに伝えたくても、手の届く範囲の人にしか伝えるすべはありませんでした。多くの人に伝えるためには、人の多くいるところに行って、ビラを配ることが精一杯でした。でも今の時代は違います。TwitterでもInstagramでも、何かつぶやくことで、あなたのつぶやきは全世界の人が見る可能性があるのです。いままで手の届く範囲の人にしか伝えられなかったあなたの思いは、簡単に全世界の人に届けることが可能なのです。誰もが使っているSNSは全世界へ発信できるというたった一点で、とても弱い私たちにとっての、とても強力な武器なのです。

もし、つらいことがあったり誰かに助けを求めたくなったり、心が折れてしまいそうになったりしたら………また周りの人にとても頼ることが出来ないような時には、勇気をもってSNSでSOSを叫んでみてください。きっと、誰かが気付いて 優しく手を差し伸べてくれます。複雑で、難しくて、歩き方を間違えるとちょっぴり怖いネット社会ですが、正しく使っていれば、あなたを救ってくれるかもしれません。

Twitter上で”#MeToo”（「私も」という意味）というハッシュタグを付けてされるTweetを、2017年以降、多く見るようになりました。これはセクシャルハラスメントや性的暴行などで虐げられた弱い立場の人たちが、SNSという世の中に情報を発信できるToolを用いて、自分の立場を告白・共有するものです。そうすることで同じ立場の人たちが繋がることにもなります。またそれを見た人たちの支援の輪も広がります。私達は一人ではとても弱い存在です。でも多くの仲間がいれば強い存在になりえます。それをSNSは助けてくれるのです。

また皆さんが日常的に使っているLINEを利用した、いじめ相談窓口を開設している自治体も増えています。LINEで気軽に今の状況を相談できるのです。

ネットワークやSNSは確かに使い方を間違うととても怖いものです。でもしっかりとした知識を身につけて、上手に使えば、きっと素敵な未来を手に入れることが出来ると思います。

インターネット依存症に気を付けよう！

Case32，33 でも紹介しましたように、インターネット依存症という診断がおりるような病気があります。中国等では、長時間のネットゲーム利用によりなくなってしまうという事案も起きました。そこまではいかなくても、長時間のネット利用は私たちの身体に大きな影響を及ぼします。スマホで首や指が変形するという報告もあります。また現在、若い人たちを中心に片方の黒目が内側に向き、物が二重に見えるようになる症状がでる「急性内斜視」の患者が増えています。このような過度なスマホの利用と私たちの身体への影響との関連が指摘されております。このような身体的影響だけでなく、心の影響や社会性への影響なども指摘されています。長くスマートフォンやタブレットでネット利用をしていることにより、情緒の発達や自律神経などへの悪影響も指摘されております。またネットへの依存度が高くなると、コミュニケーション能力の低下や現実での対人関係構築に支障が生じてくるというようなことも報告されています。

現在、ネット依存の疑いの強い人の約９割はオンラインゲーム依存だといわれています。久里浜医療センターの樋口進院長は「ゲーム依存は薬物やアルコール依存などよりも治療が難しい」と指摘しています。また、年齢が低いほど依存にもなりやすく、治療が難しくもなるとも指摘しております。だからネット依存になる前に、家族とともにルールを決めるなどしながら適切に利用をすることが求められます。

ネット依存症かどうかを判断するスクリーニング検査もいくつか開発されています。有名なものでは、Kimberly Young によって開発された「インターネット依存度テスト(IAT)」(20項目) があります。近年では、IT の先進国である韓国政府が開発した「K-スケール(青少年用)」というネット依存症チェックテストもあります。この「K-スケール(青少年用)」は自分で読んで回答するタイプですので、是非やってみてください。

次のページに、回答欄と集計・採点の仕方、結果の見方を記載しています。

インターネット依存自己評価スケール（Kスケール：青少年用）	
1	インターネットの使用で、学校の成績や業務実績が落ちた
2	インターネットをしている間は、よりいきいきしてくる。
3	インターネットができないと、どんなことが起きているのか気になってほかのことができない。
4	“やめなくては”と思いながら、いつもインターネットを続けてしまう。
5	インターネットをしているために疲れて授業や業務時間に寝る。
6	インターネットをしていて、計画したことがまともにできなかったことがある。
7	インターネットをすると気分がよくなり、すぐに興奮する。
8	インターネットをしているとき、思い通りにならないとイライラしてくる。
9*	インターネットの使用時間をみずから調節することができる。
10*	疲れるくらいインターネットをすることはない。
11	インターネットができないとそわそわと落ち着かなくなり焦ってくる。
12	一度インターネットを始めると、最初に心に決めたよりも長時間インターネットをしてしまう。
13*	インターネットをしたとしても、計画したことはきちんとおこなう。
14*	インターネットができなくても、不安ではない。
15	インターネットの使用を減らさなければならないといつも考えている。

各項目に対して、下記の当てはまる番号を選んでください 1. 全くあてはまらない　　3. あてはまる 2. あてはまらない　　4. 非常にあてはまる				
1	2	3	4	5
6	7	8	9*	10*
11	12	13*	14*	15

採点方式：全くあてはまらない（1）：1点、あてはまらない（2）：2点、あてはまる（3）：3点、非常にあてはまる（4）：4点として合計点を算出してください。ただし、項目番号9番、10番、13番、14番は、次のように逆に採点してください。全くあてはまらない（1）：4点、あてはまらない（2）：3点、あてはまる（3）：2点、非常にあてはまる（1）：1点
全て合計したものが総得点になります。

依存レベルの判定と対策

1．高リスク使用者
中高生：総得点 44点以上　小学生：総得点：42点以上
あなたはインターネット依存傾向が非常に高いです。専門医療機関などにご相談ください。

2．潜在的リスク使用者
中高生：総得点 41点から43点　小学生：総得点：39点～41点
インターネット依存に対する注意が必要です。インターネット依存におちいらないよう節度を持って使用してください。

3．一般使用者
中高生：総得点 40点以下　小学生：総得点：38点以下
インターネットが健全に使用できています。普段から自己点検を続けてください。

*Kスケール尺度（青少年用）
開発者韓国情報化振興院（National Information Society Agency）
翻訳者：独立行政法人国立病院機構 久里浜医療センター TIAR
（https://kurihama.hosp.go.jp/hospital/screening/kscale_t.html より引用しました。）

情報化社会を歩いていくために

本書では、大学生が見た・感じた情報化社会の話題を 35 の Case に分けてまとめてあります。これからの時代を生きていく方は、情報技術によって彩られた世の中を歩いていくことになります。PC も携帯電話もない時代を生きてきた私にとっては、夢のように便利な時代に映ります。でもこの便利さの隣には落とし穴もあるのです。私たちは「便利な仕組み」を知らないから、その横にある落とし穴の存在も認識できないのだと思います。不正アクセスがどのように起こっているのか少し興味を持てば、パスワードに対する認識も変わってくるだけでなく、フィッシング・メールや偽サイトなどへの注意も喚起されるのではないでしょうか。実際に SNS で行う投稿（Tweet 等）に、どのような情報が載っているのか、どのような人々に届けられるのか、その情報の受け手はどのように感じるのかについて思いを馳せてみれば、SNS にまつわるトラブルに巻き込まれる可能性は下がるのではないでしょうか。

SNS の普及によって私たちの生活は大きく変わってきました。特に私たち個人が気軽に他人と繋がり、気軽に情報を発信できるという事は画期的なことだと言えます。皆さんは繋がろうと思えば、いつでも誰とでも気軽に繋がれるのです。例え深夜 3 時に人恋しくなっても、友だちとのグループ LINE に何かを投げかければ、誰かが返信してくれるかもしれません。総理大臣だろうと有名な芸能人だろうと、その方々の SNS アカウントに意見を直接書き込むことは簡単です。もしかしたら返信が来るかもしれません。自分の意見をいつでも全世界の人に伝えることが出来るのです。これは、これまでマスメディアにだけ与えられた特権でした。そんな特権を私たちは手に入れることが出来たのです。私たち一人ひとりは非常に弱い存在です。そんな弱い存在の私たちが、マスメディアにだけ与えられた特権を手にしているのです。だからこそ私は、SNS は弱者のツールだと思います。

2019 年はそういう観点ではエポック的な事が起きました。2019 年 1 月 8 日の深夜、アイドルグループ NGT48 の元メンバーである山口真帆さんが動画配信サービス SHOWROOM で自身が受けた暴行被害とそれに対しての会社側の不誠実な対応に関して涙ながらに訴えました。これをきっかけにこの暴行事件は世間の人に知れ渡りました。更に当該事件の解明のために組織された第三者委員会報告書に関する記者会見を会社が行った際に、山口真帆さんは会社側の弁明に対して Twitter を使い会見中にリアルタイムで反論するという事を行いました。このどちらの行為も、SNS が普及した社会だからこそ成し得る事なのです。もし私たちが発信する手段を持っていなければ、表に出ることなく処理をされてしまうかもしれません。一個人の声は小さいかもしれませんが、SNS で共有・拡散するうちに支援の輪は広がっていくものです。山口さんも当初 5 万前後であった Twitter のフォロワーは、第三者委員会報告後には 28 万前後まで増え、「いいね」も 30 万を越えるなど、多くの注目と支援が集まりました。また記者会見でのリアルタイム反論は、力を持っている人に対する個人の出来うる範囲での最大の攻撃のように感じました。それ以降、2019 年 7 月の吉本興業の問題においても所属タレントが Twitter 等で様々な意見を表明し、7 月 22 日に行われた社長会見の際には、Twitter 上でリアルタイムで突っ込む芸人も多くおりました。6 月には東映ヒーローショーのお姉さん（中山愛理さん）が、Twitter で 1 年間にわたる度重なるセクハラとパワハラの実態を訴えました。その内容はどれも度を超す酷いものです。現場で何度改善を訴えても聞き入れてもらえない末の意見表明でした。すると東映はすぐに内部調査を行い、2 週間後には「ハラスメント等が行われていたことが概ね確認できた、その関与の度合いに応じた厳粛な処分・対応を行う」旨の声明を発表しました。

立場が弱い者の告発に対して東映という大きな会社が２週間という短い期間で調査を行い、非を全面的に認める声明を出すという事はやはりこれまででは考えられない事だと思います。一般社会においても同様の事は見受けられます。2019年5月に、北九州市の保育園に努めていた元職員が、外国人講師の２歳男児へ暴力行為を行っていた動画をSNSに投稿し、園内の講師による園児への暴行行為が発覚しました。これを受けてこの外国人講師は出勤停止になりました。この元職員は、施設に何度も掛け合ったが改善する様子がなく、告発目的で動画を撮影し投稿したようです。

このように私たち個人は、一人一人では弱い立場であっても、SNSというツールを用いることによって、訴える事、支援する事、共闘する事などが可能になったのです。2020年に入ると、中国で見つかった新型コロナウイルスが世界中で猛威をふるうようになりました。1月25日に中国政府は新型コロナウイルによる死者41人と発表しました。それに対して、現場の医療関係者が次々にSNSに投稿し、実際の感染者数は政府の発表をはるかに超えていると訴えました。実際に現場にいる人、医療行為に従事する人からの報告は非常に貴重であり、それなりに説得力のあるものです。

SNSには多くのデマやヘイト、著作権に違反する行為や児童ポルノに関連する話題などが見られるのも確かです。だからといってSNSが悪いものであるという事ではないのです。ここで触れましたように、立場の弱い私たちが、素敵な未来を築いていくためのツールでもあるのです。

本コラムで取り上げましたように、辛い事、苦しい事があればSNS上に声を挙げてみてください。誰かがその声を拾ってくれるはずです。きっと拡散されて、多くの同じ境遇に苦しんでいる仲間が、多くの支援する仲間が、声を挙げてくれるはずです。

SNSにとてもあげられないような悩みであれば、各都道府県に設置されている相談窓口に相談してみましょう。都道府県別に相談窓口の一覧を次のページに載せてあります。スマートフォンで都道府県名の横にあるQRコードを読み取っていただくと、その県のネット上でのトラブルに関する相談ページに行きます。

情報化社会でのトラブルは、一人で迷うのではなく、誰かに頼ってください。

情報化社会は本当に楽しく便利な社会だと思います。さらに「快適に」過ごすためには、皆さん自身が情報化社会に興味を持って、知ることが大事になってくるのだと思います。

（岸 俊行）

都道府県警察本部のサイバー犯罪相談窓口等一覧（1/2）					
都道府県	相談電話	情報・相談等メール等受付	都道府県	相談電話	情報・相談等メール等受付
北海道	011-241-9110(総)		千葉	043-227-9110(総)	
青森	017-735-9110(総)		神奈川	045-664-9110(総)	
岩手	019-654-9110(総)		新潟	025-285-0110(代)	
宮城	022-266-9110(総)		山梨	055-221-0110(代)	
秋田	018-865-8110(専)		長野	026-233-0110(総)	
山形	023-642-9110(総)		静岡	054-254-9110(総)	
福島	024-525-3311(総)		富山	076-441-2211(代)	
警視庁	03-5805-1731(専)		石川	076-225-0110(代)	
茨城	029-301-8109(専)		福井	0776-22-2880(総)	
栃木	028-627-9110(総)		岐阜	058-272-9110(総)	
群馬	027-224-8080(総)		愛知	052-951-1611(代)	
埼玉	048-832-0110(総)		三重	059-224-9110(総)	

都道府県警察本部のサイバー犯罪相談窓口等一覧（2/2）					
都道府県	相談電話	情報・相談等メール等受付	都道府県	相談電話	情報・相談等メール等受付
滋賀	077-522-1231(代)		香川	087-833-0110(代)	
京都	075-414-0110(総)		愛媛	089-934-0110(代)	
大阪	06-6943-1234(代)		高知	088-875-3110(専)	
兵庫	078-341-7441(代)		福岡	092-641-9110(総)	
奈良	0742-23-0110(代)		佐賀	0952-26-9110(総)	
和歌山	073-432-0110(総)		長崎	095-823-9110(総)	
鳥取	0857-27-9110(総)		熊本	096-383-9110(総)	
島根	0852-31-9110(総)		大分	097-536-2131(代)	
岡山	086-234-0110(代)		宮崎	0985-26-9110(総)	
広島	082-228-0110(代)		鹿児島	099-254-9110(総)	
山口	083-922-8983(専)		沖縄	098-863-9110(総)	
徳島	088-622-3180(専)		相談電話欄の（）は下記を指します （総）：総合電話番号 （代）：警察本部代表電話番号 （専）：サイバー犯罪相談等専用電話番号		

https://www.npa.go.jp/cyber/soudan.htm より作成

Psybernics の紹介

1. Psybernicsとは

Psybernicsは福井県警察サイバー防犯ボランティアとして福井県警察本部生活安全部より委嘱を受けて活動している県内の大学生の総称です。現在(2020年2月)のメンバーは福井大学,仁愛大学、福井工業大学、仁愛女子短期大学の学生27名で活動しています(本書に協力してくれたのは、そのうちの23名です)。主な活動は、サイバー防犯に係るポスターの制作やイベントへの出演などの啓発活動のほか、Twitterを対象としたサイバーパトロールシステムの構築などネット社会の安全安心対策に取り組んでいます。本書もその一環として、制作しました。

2. Psybernicsのこれまでの活動

2018年5月、福井大学の学生4人が福井県警察本部生活安全部よりサーバー防犯ボランティアを委嘱され、活動グループ【Psybernics】を結成。2018年8月の「警察ふれあいフェスタ」にてお披露目を行いました。

ポスター制作やイベント出演の他に、グループで作詞・作曲を行ったサイバー防犯に係る楽曲「本当の世界」の制作・Promotion Videoの制作を行いました。「本当の世界」は、SNSへ何でも投稿してしまう女の子が居場所を特定されてしまう危険を歌詞にしました。更には、その世界観を本人たちが監督・撮影・出演して表現したPromotion Videoの制作も行いました。

それらの活動をFBCラジオ,FBCテレビのほか、福井新聞、朝日新聞、読売新聞など多くのメディアに取り上げていただきました。

出演イベント
警察ふれあいフェスタ
ほんと?ホント!フェア in 福井
安全安心まちづくり大会 in 三国

出演番組
おじゃまっテレ(FBCテレビ)
ユーグレーディオ(FBCラジオ)

楽曲・PV制作
「本当の世界」
(作詞作曲:Psybernics)

メンバーの自己紹介

16:16　4G

Psybernics @psybernics · 4分

私は、Twitter も Instagram も利用してないので、ネットでのトラブルや危険性についてあまり知りません。しかし、この本は、私たち大学生がそれぞれのテーマに沿ったイラストを描き、知識がない私でも絵を見るだけで、楽しく理解できる本になっているのでぜひ読んでみてください。

高階日奈子

Psybernics @psybernics · 4分

心当たりのないメールが届いたり、ネットで買い物をしたら全く違うものが届いたり…。これらは 私自身に実際に起こったネットトラブルです。「 気を付けていれば大丈夫」と思っていたけれど、誰もがネットトラブルに巻き込まれる恐れがあることを実感しました。私自身、この本を読んでネットの歩き方を学びたいと思います。

金山桃子

Psybernics @psybernics · 5分

スマートフォンが普及し、若者の間ではネットや SNS はなくてはならない存在となりました。私自身も毎日 SNS を使用し、時にはコミュニケーションツールとして活用しています。しかし、使い方を間違えると本来の人間関係が崩れてしまうと気づきました。安全に楽しく使用できるよう、ぜひこの本を参考にして欲しいです!

野坂亜鼓

Psybernics @psybernics · 6分

普段 SNS を利用していると、プロフィールのアイコン画像を芸能人の写真やアニメのキャラクターの画像にしているユーザーを多く見かける。しかし、今回この本の制作に携わる過程で、これらの画像を著作者に許可なく無断で使用することは犯罪であることを知り、私も気を付けなければいけないと感じた。

杉本達哉

16:21
4G
Psybernics @psybernics · 8分
私は、最近イラストを描くことにはまっているので、Twitterでは自分の好きな絵柄のイラストを収集してます。休みの日は、のんびりしながら、アニメを見たり、音楽を聴いたり、割とインドア派な生活をしています。
よく行く場所は、本屋です。なんとなく立ち寄って、見て歩くことが好きです。
酒井彩華
Psybernics @psybernics · 9分
わたしは朝起きてすぐと寝る前に必ずSNSを観ています。友達の近況だけでなく、美味しいご飯屋や最近の流行りが知れてとても楽しいです。Twitterは文字からInstagramは写真からの情報と、それぞれの特徴を生かしながら利用しています。
竹内春華
Psybernics @psybernics · 9分
私はこれまでネットを利用していて、危険を感じたことは特にありませんでした。しかし、今回この本をつくることを通して、自分が気づかないうちに情報が漏れているネットの危険を知り、気を付けて利用していかなければならないものだと改めて実感することができました。
釣部ひかる
Psybernics @psybernics · 11分
私は日頃SNSを使っているが、トラブルに巻き込まれることなく過ごしている。正しい使い方をすれば、生活を豊かにしてくれると思っている。私は映画やドラマのことなど、趣味の合う人たちと語らえるTwitterが好き。
田端桃子

16:24 4G

Psybernics @psybernics · 12分

買い物をすること、美味しいものを食べることが大好きです。キャッシュレス化が進んで、私もクレジットカードなどで買い物をすることが増えたのですが、お金を払っている感覚がなくなってつい買いすぎてしまいます…。なので、買いすぎないように気を付けたいと思っています。

伊藤楓

Psybernics @psybernics · 12分

|-------------------- いどなおと ---------------------------|
だいがくせい	ちから：36	せいべつ：おとこ	すばやさ：80
レベル：21	たいりょく：90	HP:107	かしこさ：42	MP:0
うんのよさ：77	しゅびりょく：5
E ノートなパソコン	ききかいひ：84	E ぎんぶちメガネ	こうぶつ：にく
E しろいシャツ	たんとう：じどうぽるの	E みなれたパンツ：ちょうじかん
EX：19980605	------------------------------

Psybernics @psybernics · 13分

私は、Twitter は、趣味垢とリア垢の 2 つのアカウントを持っています。同じ趣味を持つ人達と簡単につながることが出来るのが SNS の魅力ですが、簡単に相手を傷つけることも出来る道具でもあります。トラブルに巻き込まれたことがないからこそ、SNS の正しい使い方について、私も改めて振り返りたいと思いました。

高田佳実

Psybernics @psybernics · 14分

私には、インターネットで知り合ってもう 10 年ほど経つ友人がいます。住む場所も年齢も違うので、インターネットがなかったら出会わなかったんだなあ…と思うと、改めて便利なツールだと思います。そんな便利さと危険は紙一重だと、この本を読んだ方の頭の片隅にでも引っかかればなによりです。

加畑紗月

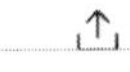

16:36
4G
Psybernics @psybernics · 23分
サイバー防犯について学び、ネット社会には多くの危険が潜んでいるということを感じました。しかし防犯を意識することで、ネット社会は快適さを生む素敵なものになるということも感じました。皆さんにも、この本を通してネットの良い面悪い面に触れ、楽しくネットを利用して頂けたら嬉しいです。
今井遥
Psybernics @psybernics · 24分
インターネット上での他人との関わり方と実際会って関わるやり方となんら違いはない筈です。私もネットの友人と会って遊んだりします。正しい知識を身に付けて自分の身は自分で守りましょう。それができれば世界がもっと広がる筈です！今回参加させて頂きありがとうございました！
小島駿人
Psybernics @psybernics · 24分
私は旅行をすることが大好きです。これまでに47都道府県を巡ってきました。旅行をする際に必ず参考にするのはSNSです。おすすめのスポットやおいしい食べ物など、写真付きでわかりやすくまとめてあるので、必ずチェックします。これからもルールやマナーを守りながらSNSを活用していきたいです。
小林里緒実
Psybernics @psybernics · 26分
現在，技術の進歩が進み，ネットを触れざるをえない時代になりました。そのため，私もネット上のサイトをよく閲覧したり，ゲームはオンラインでプレイしていることがあります。これからもネットのお世話になることが増えそうなのでルールを守って利用しようと思っています。
山口大希

16:44 4G

Psybernics @psybernics · 31分

私は普段、友達の投稿を見たり趣味の合う人の投稿を見たりするためにSNSを利用しています。幸い、今までに特に困ったことは起こっていませんが、この本がきっかけとなり様々な恐ろしい問題について知ることができました。いつ自分の身に起こってもおかしくないことで、気を付けなければいけないなと痛感しています。

新井明音

Psybernics @psybernics · 31分

私の好きなことは、ライブ参戦と髪を染めることです。3年間で60回近く染めました。紫、青、レインボー…色々したのですが、やっぱり金髪が一番好きです(^^)でも、最近は就活で色を変えられないのでとても寂しいです…。最近の悩みは、ライブ参戦でお金が飛ぶことと、迷惑メールが絶えないことです。

大西夏実

Psybernics @psybernics · 32分

私は、SNSを通じてできた友達が全国各地にいます。その友達は年齢も違うのでTwitterやInstagramなどのツールにはとても感謝しています。しかし、その一方、危険性も多く潜んでいるので様々な知識や対策を知りながらこれからも利用したいですね。そしてその友達たちにまた会いたいです。

大西晃一朗

Psybernics @psybernics · 34分

普段はTwitterやネットサーフィンをしています。私自身、トラブルなどは今までありませんでしたが、インターネットは便利な反面、使い方を誤れば危険な存在になります。この本が使い方を見直す良い機会になればなと思います。

石井佑奈

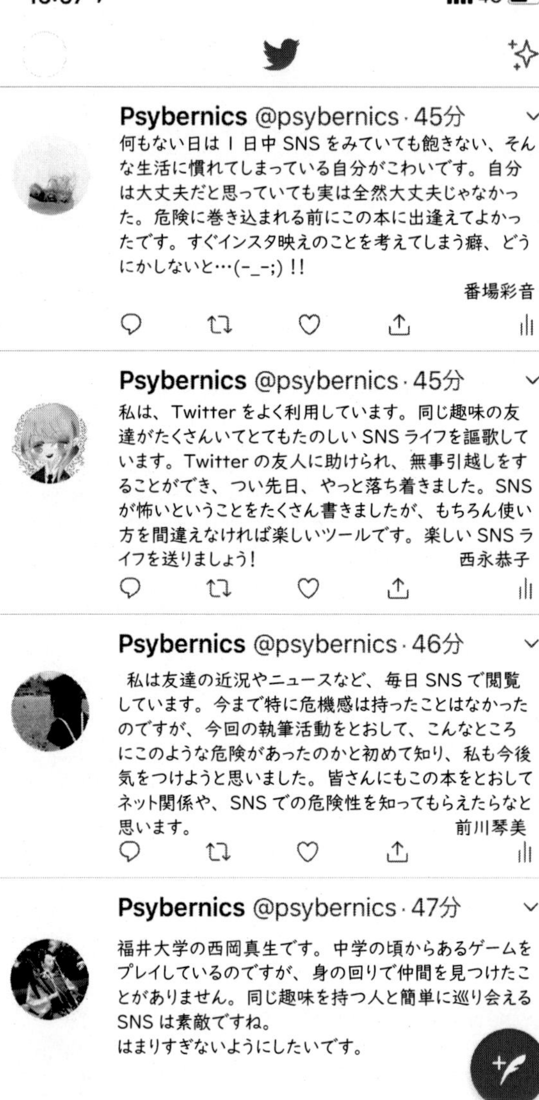
16:57
4G
Psybernics @psybernics · 45分
何もない日は１日中SNSをみていても飽きない、そんな生活に慣れてしまっている自分がこわいです。自分は大丈夫だと思っていても実は全然大丈夫じゃなかった。危険に巻き込まれる前にこの本に出逢えてよかったです。すぐインスタ映えのことを考えてしまう癖、どうにかしないと…(-_-;)!!
番場彩音
Psybernics @psybernics · 45分
私は、Twitterをよく利用しています。同じ趣味の友達がたくさんいてとてもたのしいSNSライフを謳歌しています。Twitterの友人に助けられ、無事引越しをすることができ、つい先日、やっと落ち着きました。SNSが怖いということをたくさん書きましたが、もちろん使い方を間違えなければ楽しいツールです。楽しいSNSライフを送りましょう!
西永恭子
Psybernics @psybernics · 46分
私は友達の近況やニュースなど、毎日SNSで閲覧しています。今まで特に危機感は持ったことはなかったのですが、今回の執筆活動をとおして、こんなところにこのような危険があったのかと初めて知り、私も今後気をつけようと思いました。皆さんにもこの本をとおしてネット関係や、SNSでの危険性を知ってもらえたらなと思います。
前川琴美
Psybernics @psybernics · 47分
福井大学の西岡真生です。中学の頃からあるゲームをプレイしているのですが、身の回りで仲間を見つけたことがありません。同じ趣味を持つ人と簡単に巡り会えるSNSは素敵ですね。
はまりすぎないようにしたいです。

おわりに

本書を手に取って頂いてありがとうございます。この本を手にとって頂いたみなさんは、情報の指導に悩む教育者の方でしょうか。あるいは、子どものネット利用に悩む保護者の方でしょうか。もしかすると、学校の宿題でインターネットの危険性について調べている学生の方かもしれませんね。

ICT(Information & Communication Technology) が発達するにつれて、身の回りのサービスや子どもを取り巻く環境は大きく変化してきました。スマートフォンやタブレットを所持する年齢層も低年齢化が進み、最近では、中学生や小学生どころか、2歳や3歳の子どもがタブレット端末を操作して動画を見るという話も耳にします。子どもたちは、インターネットやスマートフォンを使い、自分の好きなコンテンツを見たり、SNS を使用することがとても得意です。しかし、その反面、SNS 上のトラブルに巻き込まれたり、無意識に違法な行為をしてしまったりと、問題も数多く増えてきました。

このような問題を改善すべく、警察や内閣府、総務省、その他民間企業は、様々なガイドラインや啓発本を出版しています。そして、私たちは福井県警と連携したサイバー防犯ボランティア「psybernics」として、これらの出版物を読み、講演やワークショップを通じて啓発活動を行ってきました。

この活動の中で大学生たちが得た「気づき」こそが、なんでインターネットトラブルの啓発本に専門用語ばっかり載せるんだ!です。

子どもたちは、ルーターや WiFi を知らなくてもインターネットに自動的に接続できる環境で育ち、クラウドサービスについて知らなくても自動バックアップされる世界で暮らしています。難しい専門用語を並べて、あれは危険、これも危険といってもなかなか頭に入っていかないのではないでしょうか。だからこそ、専門的な用語はできる限り少なく、少しでも絵を多く、ネット社会を歩く前にパラパラと眺めて欲しいという想いを込めて、本書は誕生しました。

本書を刊行するにあたり多くの方のご尽力を頂きました。素敵なイラストを描いて頂いた Psybernics の方々にお礼申し上げげたいと思います。中でも素敵な表紙を描いて頂きました仁愛女子短期大学の西畑ゼミの皆様にお礼を申し上げます。また慣れないソフトを使いながら編集作業をしてくださいました西永恭子さんに感謝申し上げます。西永さんがいなければ刊行までこぎつけませんでした。さらば psybernics」を取りまとめ、ご支援ご鞭撻を頂きました福井県警察サイバー犯罪対策室の方々に心からお礼申し上げます。また、このような特異な出版物を快く出版させてくださいました三恵社ならびに日比様には心より感謝申し上げます。最後に、本書を手に取ってくださいました全ての方に、感謝申し上げるとともに、情報化社会を安全安心に楽しく歩んでいただけることを心より願っております。

梅の蕾が膨らみ春を近く感じる北信越にて
著者を代表して

令和2年1月24日
安彦 智史

【 編著者】
岸 俊行(きし としゆき)
福井大学教育・人文社会系部門教員養成領域発達科学講座 准教授
1976 年東京都生まれ。2006 年早稲田大学大学院人間科学研究科博士後期課程単位取得退学。2007 年博士(人間科学)(早稲田大学) 取得。2016 年より現職。専門は教育心理学, 教育工学。主な著書に『 一斉授業の特徴を探る』(単著) ナカニシヤ出版,『 実践をふりかえるための教育心理学教育心理にまつわる言説を疑う』(共著) ナカニシヤ出版,『 研究と実践をつなぐ教育研究』(共著) 株式会社 EGP 他

安彦 智史(あびこ さとし)
仁愛大学人間学部コミュニケーション学科 講師
1986 年京都府生まれ。2013 年関西大学大学院総合情報学研究科知識情報学専攻博士課程後期課程修了　博士 (情報学) 取得。2016 年より現職。専門は情報学。
主な著書に『 mixi で学ぶ OpenSocial アプリケーション開発』(共著) 総務省北陸総合通信局福井県青少年安心・安全ネット利用促進連絡会 座長, 福井県青少年愛護審議会 委員 他

西畑 敏秀(にしばた としひで)
仁愛女子短期大学 生活科学学科生活デザイン専攻 教授
1958 年、福井県生まれ。1982 年東京藝術大学 美術学部デザイン科卒業後、同大学院美術専修科デザイン専攻修了。1984 年福井新聞 PR センター入社。デザインプロダクション(株) バウス設立、敦賀女子短期大学 非常勤講師、福井大学 教育学部 美術科非常勤講師を経た後、2001 年より福井大学 教育地域科学部 美術教育サブコースデザイン担当准教授となり、その後 2008 年より現職。 専門は、グラフィックデザイン、コミュニケーションデザイン。V.I 計画、メディア広告、SP ツール制作等、各種デザインをベースに企業のブランディング・コミュニケーションを手掛ける。福井県デザイナー協会会長、FUCA(福井クリエーターズ・アソシエ—ション) 代表。

NETWALKER　危険がいっぱい!情報化社会を歩く。

2020年3月20日　初版発行

編著者　岸　俊行
安彦　智史
西畑　敏秀

定価(本体価格1,350円+税)

発行所　株式会社　三恵社
〒462-0056 愛知県名古屋市北区中丸町2-24-1
TEL 052 (915) 5211
FAX 052 (915) 5019
URL http://www.sankeisha.com

乱丁・落丁の場合はお取替えいたします。

ISBN978-4-86693-214-9 C0036 ¥1350E